*Alighieri, Dante; Lu*

# Dante Alighieri's prosaische Schriften

*mit Ausnahme der Vita nuova*

*Alighieri, Dante; Ludwig, Karl*

**Dante Alighieri's prosaische Schriften**

*mit Ausnahme der Vita nuova*

*Inktank publishing, 2018*

*www.inktank-publishing.com*

*ISBN/EAN: 9783750134317*

# Dante Alighieri's
# prosaische Schriften

## mit Ausnahme der Vita nuova.

Uebersetzt

von

## Karl Ludwig Kannegießer.

Zweiter Theil.

Leipzig:
F. A. Brockhaus.
1845.

# Inhalt des zweiten Theiles.

## Ueber die Monarchie. (De monarchia.)

### Erstes Buch.

### Zweites Buch.

### Drittes Buch.

## Ueber die Volkssprache. (De vulgari eloquio.)

### Erstes Buch.

## Zweites Buch.

## Dante's Briefe.

# Ueber die Monarchie.

## (De monarchia.)

# Erstes Buch.

---

## Ueber die Nothwendigkeit der Monarchie.

Alle Menschen, denen eine höhere Natur die Liebe zur Wahrheit einprägte, lassen es sich wohl hauptsächlich angelegen sein, sowie sie durch die Bemühung der Altvordern bereichert worden, so auch ihrerseits für die Nachkommen sich zu bemühen, dergestalt, daß die Nachwelt Etwas durch sie erhalte, wodurch sie bereichert werde. Denn seiner Pflicht fernab zu sein möge Der nicht zweifeln, den trotz öffentlicher Anmahnungen es nicht kümmert, zum Gemeinwohle etwas beizutragen; denn er ist kein Holz, das längs dem Lauf der Gewässer zu seiner Zeit Frucht bringt, sondern vielmehr ein verderblicher Strudel, immer einschlürfend und nie das Eingeschlürfte zurückströmend. Dies nun oft und aufs Neue bedenkend verlangt es mich, daß man mich nicht zeihe, mein Pfund vergraben zu haben, für das allgemeine Wohl nicht nur anzuschwellen, sondern vielmehr Frucht zu tragen, und von Andern unberührte Wahrheiten ans Licht zu bringen. Denn welchen Nutzen stiftete doch, wer einen Satz des Euklides aufs Neue bewiese, wer die von Aristoteles dargestellte Glückseligkeit wiederum darzustellen unter=

1 *

nähme, wer das von Cicero vertheidigte Alter noch ein=
mal zu vertheidigen sich zur Aufgabe machte? Gewiß
keinen, vielmehr würde ein so langweiliges überflüssiges
Beginnen Ekel verursachen. Und da unter anderen ver=
borgenen und nützlichen Wahrheiten die Kenntniß der
weltlichen Monarchie höchst nützlich ist und sehr versteckt,
und weil sie als etwas nicht unmittelbar Gewinnbrin=
gendes von Allen unberührt geblieben ist; habe ich es
mir vorgenommen, sie aus ihrem Versteck hervorzuholen,
theils um auf eine ersprießliche Weise für die Welt wach=
sam zu sein, theils um die Palme eines solchen Wage=
stücks zu meinem Ruhm zuerst mir zu erwerben. Hehr
und meine Kräfte übersteigend ist das Werk, das ich in
Angriff nehme, nicht sowol auf meine eigenen Kräfte
vertrauend als auf das Licht jenes Spenders, der Allen
reichlich gibt und nicht Vorwürfe macht.

Zuerst also ist zu betrachten, was man die weltliche
Monarchie heiße, der Gestalt nach, um so zu sagen, und
der Absicht nach. So ist denn die weltliche Monarchie,
welche man das Kaiserthum nennt, eine einzige Obrig=
keit, und zwar über Alle in der Zeit, oder sowol in
Dem, als über Das, was zeitlich gemessen wird. Vor=
nehmlich aber kommen hiebei drei Zweifel in Frage.
Denn zuerst wird gezweifelt und gefragt, ob sie zum
Heil der Welt nothwendig sei; zweitens, ob das römische
Volk sich mit Recht das Amt des Alleinherrschers ange=
eignet habe; und drittens, ob das Ansehn des Monar=
chen abhange von Gott unmittelbar, oder von einem
Andern als Diener und Statthalter Gottes. Aber weil
alle Wahrheit, welche nicht ein Urgrund ist, aus der
Wahrheit eines Urgrundes erhellt, muß man bei jedweder
Untersuchung Kenntniß haben von dem Urgrunde, worauf
die Entwicklung zurückkehrt, für die Vergewisserung aller
Sätze, welche weiterhin angenommen werden. Und weil
die gegenwärtige Abhandlung vor Allem den Urgrund
betrifft, so ist zu untersuchen, wie es scheint, kraft wessen

die Folgesätze Bestand haben. Man muß demnach wissen, daß es Einiges gibt, was unsrer Macht gar nicht unterworfen ist, was wir nur durchforschen, nicht aber schaffen können, als da sind die Größenlehre, die Naturlehre und das Göttliche. Einiges aber gibt es, was, unsrer Macht unterworfen, wir nicht allein durchforschen, sondern auch hervorbringen können, und hiebei wird die Hervorbringung nicht wegen der Forschung, sondern diese wegen jener vorgenommen, insofern sie bei einer solchen Hervorbringung der Zweck ist. Wenn also der gegenwärtige Stoff staatlich, ja die Quelle und der Urgrund des richtigen Staatswesens ist, und alles Staatliche unserer Macht unterliegt, so ist offenbar, daß der gegenwärtige Stoff nicht nach der Forschung als dem Ersteren, sondern nach der Hervorbringung sich ordnet. Wiederum, wenn in dem Hervorbringlichen der Urgrund und die Ursache von Allem der letzte Zweck ist, denn von ihnen geht die erste Wirkung aus; so folgt, daß jeder Grund derjenigen Dinge, welche einen Zweck haben, von dem Zwecke selbst hergenommen wird. Denn anders ist der Grund beim Holzfällen, wenn man ein Haus, als wenn man ein Schiff zu bauen hat. Wenn es also Etwas gibt, das als Zweck des Bürgerthumes des menschlichen Geschlechtes nützt, so wird dies der Urgrund sein, woraus alles weiterhin zu Beweisende klärlich erhellen wird. Daß es aber einen Zweck für dieses und jenes Bürgerthum, und daß es nicht einen einigen Zweck für alle gebe, dies anzunehmen ist thöricht.

Nun ist aber zu betrachten, was der Zweck der ganzen menschlichen Bürgerschaft sei, nach welcher Erörterung mehr als die halbe Arbeit gethan sein wird, dem Philosophen zufolge in seiner Schrift an den Nikomachus. Und zur Beweisführung des aufgestellten Satzes muß man betrachten, daß, gleichwie es einen Zweck gibt, dessentwegen die Natur einen Daum, und einen von dem verschiedenen, weshalb sie die ganze Hand, und wiederum

einen von Beiden verschiedenen, weshalb sie einen
Arm, und einen von Allen verschiedenen, weshalb sie
einen ganzen Menschen hervorbringt; so sind die Zwecke
verschieden, wonach sie einen einzelnen Menschen, ein
Hauswesen, eine Gemeine, ein Bürgerthum, ein Reich
anordnet, und endlich einen edelsten Zweck, wonach der
ewige Gott auf ersprießliche Weise das menschliche Geschlecht durch seine Kunst, welche die Natur ist, ins Leben
hervorruft. Und hier kommt es auf einen leitenden Urgrund der Untersuchung an. Demzufolge ist erstlich zu
wissen, daß Gott und die Natur nichts Müßiges schaffen,
sondern was zum Dasein kommt, das ist zu einer Wirksamkeit da. Denn keineswegs ist das erschaffene Wesen
der letzte beabsichtigte Zweck des Schöpfers als solchen,
sondern die besondere Wirksamkeit des Wesens. Wahr
ist es, daß die besondere Wirksamkeit nicht des Wesens
wegen, sondern dieses wegen jener sein Dasein hat. Es
gibt also eine besondre Wirksamkeit der menschlichen Gesammtheit, wonach die Gesammtheit der Menschen selbst
bei einer so großen Menge geordnet wird. Zu dieser
Wirksamkeit kann weder ein einzelner Mensch, noch ein
einzelnes Haus, noch Gemeinde, noch Bürgerschaft, noch
ein besonderes Reich gelangen. Von welcher Art aber
jene Wirksamkeit sei, wird deutlich werden, wenn das Ziel
der Macht der ganzen Menschheit sichtbar wird. Ich
sage also, daß keine Kraft, woran mehrere der Art nach
Verschiedene Theil nehmen, das Ziel der Macht ist für
irgend Einen von Jenen. Denn wenn Jenes, was als
Solches das Ziel ist, bestimmend wäre für die Gattungs-
art, so würde folgen, daß Ein Wesen sich in mehreren
Gattungarten artete, was unmöglich ist. Es ist also
nicht eine das Ziel betreffende Kraft im Menschen, das
Sein selbst einfach genommen, weil auch so genommen
die Grundstoffe daran theilnehmen, noch auch das Sein
als zusammengesetzt genommen, weil dies bei den Thieren,
noch als belebt, weil dies bei den Pflanzen gefunden

wird, noch als wahrnehmbar, weil daran auch das Leb-
lose theilnimmt, sondern als ein an seinem geistigen Vermögen Wahrnehmbares, was keinem andern ober = oder
unterhalb des Menschen stehenden Wesen zukommt. Denn
wenn es gleich andre Wesen gibt, die am Verstande
theilnehmen, so ist ihr Verstand doch nicht ein Vermö=
gen wie bei dem Menschen, weil dergleichen gewisse Ver=
standeswesen sind und nichts Anderes, und ihr Wesen
nichts Anderes ist als die Verstandeseinsicht, was es
heißt, daß sie sind, weil sie ohne Einschub auf andere
Weise nicht ewig wären. Hieraus erhellt, daß das End=
ziel der Macht oder des Vermögens der Menschheit selbst
— das Vermögen oder Können des Verstandes ist. Und
weil dies Vermögen durch Einen Menschen oder durch
irgend eine der oben unterschiedenen Gemeinschaften nicht
ganz zugleich in Handlung gesetzt werden kann, so muß
es nothwendig die Vielheit in dem menschlichen Geschlechte
sein, wodurch das ganze Vermögen thätig gemacht werde,
wie denn auch die Vielheit der erschaffbaren Dinge als
ganzes Vermögen des ersten Stoffes immer thätig sein
muß, sonst gäb' es ein getrenntes Vermögen, was un=
möglich ist. Und mit diesem Satze stimmt Averroes
überein in seiner Abhandlung über die Seele; auch be=
zieht sich das Verstandesvermögen, wovon ich rede, nicht
blos auf die allgemeinen Formen oder Arten, sondern
durch eine gewisse Erweiterung auch auf die besonderen.
Weshalb gesagt zu werden pflegt, daß der forschende
Verstand durch die Erweiterung werkthätig wird, wobei
der Zweck das Thun und Machen ist, was ich beziehe
auf das zu Thuende, was durch die Staatsklugheit und
auf das zu Machende, was durch die Kunst geregelt
wird, was Alles der Forschung an die Hand geht, als
dem Besten, wozu die erste Güte das Menschengeschlecht
zum Dasein hervorrief. Hieraus ist hinsichtlich des Staa=
tes klar, daß die Verstandesstarken vor den Andern von
Natur den Vorrang haben.

Sattsam ist also erklärt, daß das eigenthümliche Geschäft des menschlichen Geschlechtes als eines Ganzen darin besteht, immer das ganze Vermögen des Geistes als Vermögens in Thätigkeit zu setzen, zuerst zum Forschen und demnächst zum Wirken dadurch nach seiner Erweiterung. Und weil sich das Ganze wie das Einzelne verhält und den besondern Menschen angeht, was sitzend und ruhend durch Klugheit und Weisheit vollbracht wird; so erhellt, daß die Menschheit in der Ruhe und Stille des Friedens für ihr eigenthümliches Werk, das fast göttlich ist (laut des Ausspruches: Du hast ihn nur Weniges den Engeln nachgestellt) die meiste Freiheit und Leichtigkeit hat. Daher ist es offenbar, daß ein allgemeiner Frieden am zuträglichsten ist für Das, was zu unsrem Wohlergehn angeordnet ist, also, wie es den Hirten aus der Höhe erscholl, nicht Reichthümer, nicht Wohllüste, nicht Ehren, nicht langes Leben, nicht Gesundheit, nicht Stärke, nicht Schönheit, sondern Friede. Denn die himmlische Heerschaar singt: „Ehre sei Goet in der Höhe und Friede auf Erden den Menschen, die das Gute wollen." Daher war auch des Heilandes Gruß: Friede sei mit euch! Denn es ziemte dem höchsten Heiland mit dem höchsten Gruße zu grüßen, eine Sitte, die seine Jünger und Paulus in ihren Begrüßungen beibehalten wollten, wie Allen bekannt sein wird. Aus dem Erklärten also erhellt, wodurch das menschliche Geschlecht auf eine bessere, ja auf die beste Weise sein eigenthümliches Geschäft unternimmt. Und demnächst hat sich das beste Mittel gezeigt, wodurch man zu Dem gelangt, wonach, gleichwie für den letzten Zweck, all unser Thun sich richtet: denn Das ist der allgemeine Friede, der für den Urgrund der folgenden Gründe gelten kann, welcher, wie vorher gesagt ist, das Nothwendige, oder das vorgesteckte Zeichen war, auf welches sich alles zu Beweisende wie auf die sonnenklarste Wahrheit bezieht.

Um nun auf Das, was zu Anfang gesagt wurde,

zurückzukommen, so werden drei Dinge hauptsächlich bezweifelt und kommen hinsichtlich der weltlichen Alleinherrschaft in Frage, welche jetzt insgemein Kaiserherrschaft
genannt wird, und hierüber war, wie zuvor gesagt ist,
mein Vorhaben nach bezeichnetem Urgrund die Untersuchung in schon berührter Ordnung anzustellen. So sei
denn die erste Betrachtung: ob die weltliche Alleinherrschaft zum Heil der Welt nothwendig sei. Dies kann
aber, ohne daß Vernunft oder Ansehn gewaltsam dagegen
aufträte, durch die stärksten und deutlichsten Beweise dargethan werden, deren erster unter dem Schirme des Philosophen aus seiner Schrift über den Staat hergenommen werden soll. Denn sein ehrwürdiger Mund behauptet
dort, daß, wenn gewisse mehrere Dinge sich nach Einem
richten, dies Eine regieren oder herrschen, die andern aber
regiert oder beherrscht werden müssen. Dies macht jedoch
nicht blos der berühmte Name des Urhebers glaublich,
sondern die leitende Vernunft. Denn wenn wir den
einzelnen Menschen betrachten, so werden wir sehen, daß
dies bei ihm eintreffe, weil, da alle seine Kräfte sich nach
dem glücklichen Zustande richten, die Verstandeskraft selbst
aber die Ordnerin und Regiererin aller übrigen ist, er
auf andre Weise zum Glücke nicht gelangen kann. Wenn
wir ein einziges Hauswesen betrachten, dessen Zweck ist,
die Hausgenossen zur richtigen Lebensweise anzuleiten, so
muß Einer sein, der sie leite und regiere, den man den
Hausvater nennt, oder dessen Stellvertreter, nach dem
Ausspruch des Philosophen: Jedes Haus wird von dem
Aeltesten regiert. Und dessen Pflicht ist es, wie Homer
sagt, Alle zu leiten und den Andern Gesetze aufzulegen.
Daher sprichwörtlich jener Fluch: Finde deines Gleichen
im Hause! Wenn wir eine einzelne Gemeine betrachten,
deren Zweck die angemessene Hülfsleistung sowol hinsichtlich der Personen, als der Sachen ist, so muß Einer der
Ordner sein, sei er von einem Andern gegeben, oder rage
er aus ihnen selbst hervor, mit Beistimmung der Uebri-

1 **

gen; anders gelangt man nicht zu jenem wechselseitigen Genügen, sondern sobald etwa Mehrere hervorragen wollen, geht die ganze Gemeinde unter. Betrifft es aber eine einzelne Bürgerschaft, deren Zweck ist, sich in einem glücklichen und genügenden Zustande zu befinden, so muß diese ein einziges Reich sein. Und dies findet statt nicht blos in einem richtigen, sondern auch in einem verschobenen Staatswesen; im entgegengesetzten Falle wird nicht blos der Zweck des bürgerlichen Lebens nicht erreicht, sondern die Bürgerschaft hört auch auf zu sein, was sie war. Anlangend endlich Ein besonderes Reich, dessen Zweck derselbe wie der Bürgerschaft ist, so muß mit größerem Vertrauen auf Ruhe Ein König sein, der regiere und walte; auf andre Weise erreichen nicht nur die im Reiche Lebenden den Zweck nicht, sondern das Reich geht auch seinem Verderben zu, jener unfehlbaren Wahrheit gemäß. Jedes in sich selbst getheilte Reich verödet. Wenn also Das, was nach Einem geordnet wird, sich so im Einzelnen verhält, so ist das Obenangenommene wahr. Nun ist bekannt, daß die ganze Menschheit sich nach Einem ordnet, wie schon zuvor gezeigt ist. Eines muß also das Regirende und Leitende sein, und dies muß den Namen des Alleinherrschers oder Kaisers führen. Und so erhellt, daß Monarchie oder Kaiserthum zum Heil der Welt nothwendig sei.

Wie sich der Theil zum Ganzen verhält, so die theilweise Ordnung zur ganzen. Der Theil verhält sich zum Ganzen, wie zum Zweck und zum Besten: also auch die Ordnung in einem Theile zur Ordnung im Ganzen, wie zum Zwecke und zum Besten. Hieraus ergibt sich, daß die Güte der theilweisen Ordnung die Güte der ganzen Ordnung nicht übertrifft, sondern vielmehr umgekehrt. Wenn sich also eine doppelte Ordnung in Dingen findet, nämlich eine Ordnung der Theile unter sich und eine Ordnung der Theile mit Bezug auf ein gewisses Eins, das nicht ein Theil ist, z. B. die Ordnung der Theile eines Heeres unter sich und ihre auf den Führer bezügliche Ordnung, so ist die auf das Eine bezügliche Ordnung der Dinge als Zweckes der andern Ordnung besser, denn sie ist wegen dieses Zweckes anders, nicht umgekehrt. Wenn daher eine Form dieser Ordnung in den Theilen der menschlichen Vielheit gefunden wird, so läßt sich weit mehr sagen, daß sie in der Vielheit selbst, oder in der Ganzheit gefunden wird, kraft des vorangeschickten Schlusses, da diese Ordnung besser oder die Form der Ordnung ist. Sie findet sich aber in allen Theilen der menschlichen Vielheit, wie aus dem im vorhergehenden Kapitel Gesagten deutlich ist; also muß sie sich auch in der Ganzheit finden. Und so müssen sich alle unterhalb der Reiche zuvor bemerkten Theile und die Reiche selbst sich nach Einem Oberregirer oder Regirung ordnen, das heißt, nach einem Monarchen oder einer Monarchie. Ferner, die menschliche Gesammtheit ist ein Ganzes hinsichtlich gewisser Theile, und ist ein Theil hinsichtlich eines gewissen Ganzen; denn sie ist ein gewisses Ganzes hinsichtlich besonderer Reiche und Völker, wie das Vorige besagt, und sie ist ein gewisser Theil hinsichtlich des allgemeinen Ganzen, was für sich klar ist. Sowie nun das Niedere der menschlichen Allgemeinheit ihr wohl entspricht, so läßt sich von ihr sagen, daß sie ihrem Ganzen wohl entspricht. Ihre Theile entsprechen ihr wohl und gut nach Einem Urgrund nur, wie aus dem Vorigen leicht entnommen werden kann; also entspricht auch sie selbst einfacherweise wohl und gut dem Urgrunde selbst und dem Allgemeinen oder dem Herrscher, welcher Gott und Allherrscher ist, nach nur Einem Urgrund, nämlich dem einzigen Oberherrn: Hieraus folgt, daß die Alleinherrschaft nöthig sei zum Heile der Welt.

Und alles Das verhält sich wohl und auf's Beste, was sich verhält nach der Absicht des ersten Wirkenden, welcher Gott ist. Und dies wird an sich anerkannt ausgenommen von Denen, welche leugnen, daß die göttliche

Güte die höchste Vollkommenheit erreiche. Nach der Absicht Gottes soll aber alles Erschaffene sich als gottähnlich darstellen, soweit dies seiner Natur nach geschehen kann. Deswegen heißt es: Laßt uns einen Menschen machen, ein Bild, das uns ähnlich sei. Wenn nun gleich der Ausdruck Bild nicht auf die dem Range nach unter dem Menschen stehenden Dinge angewandt werden kann, so läßt sich doch die Aehnlichkeit von jedem Dinge behaupten, da das ganze All nichts anders ist als ein Abdruck der göttlichen Güte. Demnach befindet sich das menschliche Geschlecht wohl und am besten, wenn es sich soviel möglich Gott ähnlich macht. Dies geschieht aber, wenn es möglichst Eins ist. Denn wahr ist das Verhältniß des Einen im Ganzen, weshalb es heißt: Höre, Israel, der Herr, dein Gott, ist ein einiger Gott. Aber die Menschheit ist dann am meisten Eins, wenn das ganze in Eins sich vereinigt, was nur dann stattfinden kann, wenn es sich Einem Fürsten gänzlich unterwirft, wie sich von selbst versteht. Also macht sich die Menschheit auf diese Art Gott am meisten ähnlich und verhält sich am meisten nach seiner Absicht, das heißt, gut und am besten: wie im Anfang dieses Abschnittes dargethan ist.

Desgleichen verhält sich jeder Sohn wohl und am besten, wenn er der Spur des vollkommnen Vaters, soweit es seine eigene Natur erlaubt, nachfolgt. Das Menschengeschlecht ist des Himmels Sohn, welcher in allen seinen Werken höchst vollkommen ist. Denn der Mensch und die Sonne zeugen den Menschen, laut des zweiten Buches über den natürlichen Vortrag. Also befindet sich die Menschheit am besten, wenn sie den Spuren des Himmels, soweit es ihre eigenthümliche Natur erlaubt, nachfolgt. Und wenn der ganze Himmel durch eine einzige Bewegung, nämlich der ersten Bewegkraft, und durch den einzigen Beweger, welcher Gott ist, geleitet wird in allen seinen Theilen, Bewegungen und Bewegern, wie die menschliche Vernunft durch philoso-

phifche Betrachtung auf's Deutlichſte erfährt, ſo befindet
ſich, im Fall die Schlußfolge richtig iſt, die Menſchheit
dann am beſten, wann ſie von einem einzigen Fürſten gleichwie von einem einzigen Beweger und Geſetze, gleichwie
von einer einzigen Bewegung in ſeinen Bewegern und
Bewegungen geleitet wird. Hieraus erhellt, daß zum
Wohl der Welt die Monarchie oder eine einzige Herr=
ſchaft, welche Kaiſerthum heißt, nothwendig iſt. Dieſer
Gedanke liegt in dem Seufzer des Boethius:

> O glückſeligen Menſchen, ihr,
> Wenn ſie, welche die Himmel lenkt,
> Lieb', auch eure Gemüther lenkt.

Und wo immer ein Rechtshandel ſein kann, da muß
auch ein Gerichtsſpruch ſein: ſonſt gäbe es etwas Unvoll=
kommnes ohne das ihm eigenthümliche Vollkommne;
was unmöglich iſt, da Gott und Natur bei dem Noth=
wendigen es nicht fehlen laſſen. Unter allen zwei Für=
ſten, von denen der eine dem andern keineswegs unter=
than iſt, kann ein Rechtshandel entſtehn, ſei es durch
ihre eigene oder der Unterthanen Schuld, was an ſich
klar iſt. Dergleichen bedürfen des Gerichtsſpruches, und
da der Eine über den Andern nicht erkennen kann, weil
der Eine dem Andern nicht unterthan iſt, (denn Gleich
und Gleich haben keine Gewalt übereinander) ſo muß
etwas Drittes von höherer Gerichtsbarkeit da ſein, das
durch den Umfang ſeines Rechtes vor Beiden den Vor=
zug hat. Und dies wird der Monarch ſein, oder nicht.
Iſt es es, ſo haben wir, was wir wollen; iſt er es nicht,
ſo muß er abermals ſeines Gleichen haben außerhalb des
Umfanges ſeiner Gerichtsbarkeit. Dann wird abermals
ein andrer Dritter nöthig ſein; und ſo wird es entweder
ins Unendliche fortgehn, was aber nicht möglich iſt, oder
wir werden zu dem erſten und höchſten Richter gelangen,
durch deſſen Urtel alle Händel, mittelbar oder unmittel=
bar, geſchlichtet werden, und dies wird der Monarch oder

der Kaiſer ſein. Die Monarchie iſt alſo ein Bedürfniß der Welt. Und dies war die Anſicht des Philoſophen, wenn er ſagt: Was da iſt, will nicht übel beſtellt ſein; übel aber iſt die Mehrheit der Herrſchaften: Einer alſo iſt der Herrſcher.

Ueberdies iſt die Welt am beſten beſtellt, wenn die Gerechtigkeit in ihr am mächtigſten iſt; weshalb Virgil, als er das Jahrhundert rühmen wollte, das zu ſeiner Zeit anzubrechen ſchien, in ſeinen Hirtengedichten ſang:

> Selber die Jungfrau kehrt und es kehrt die ſaturniſche
> Herrſchaft.

Denn unter der Jungfrau verſtand man die Gerechtigkeit, die man auch Aſträa nannte, und unter ſaturniſcher Herrſchaft die ſchönſte Zeit, die man auch die goldene hieß. Die Gerechtigkeit hat nur unter einem Monarchen höchſte Gewalt. Damit die Welt wohl beſtellt ſei, bedarf es alſo der Monarchie oder des Kaiſerthums. Zur vollen Beweisführung des zu Hülfe genommenen Satzes muß man wiſſen, daß die Gerechtigkeit an ſich und ihrer eigenen Natur betrachtet, eine gewiſſe Gradheit oder Regel iſt, die das Schräge von beiden Seiten vermeidet, und mit dem zu Vielen oder zu Wenigen unvereinbar iſt, wie die weiße Farbe, ihrem Begriffe nach betrachtet. Denn es gibt gewiſſe Formen dieſer Art, welche die Vereinigung betreffen und aus etwas Einfachem und Unveränderlichem beſtehen, wie der Lehrmeiſter der ſechs Urgründe mit Recht ſagt. Dennoch nehmen ſie mehr oder weniger von dieſer Beſchaffenheit auf von einem Theile der Gegenſtände, mit welchen ſie zuſammengebracht werden, je nachdem mehr oder weniger in den Gegenſtänden vom Gegentheil ſich beimiſcht. Wo nun am wenigſten vom Gegentheil der Gerechtigkeit ſich beimiſcht, ſowol rückſichtlich des Zuſtandes als der Wirkung, da iſt die Gerechtigkeit am mächtigſten. Und in Wahrheit kann ſodann von ihr geſagt werden, wie der Philoſoph sagt, weder Hesperus noch Lucifer ist so bewunderns-würdig; sie ist nämlich dann der Phöbe ähnlich, wenn sie ihren Bruder auf dem Durchmesser anschaut, wegen der Purpurfarbe in der heiteren Morgenzeit. Was nun den Zustand betrifft, so hat die Gerechtigkeit bisweilen Widerstand am Wollen; denn wenn der Wille nicht von aller Begierde lauter ist, so wohnt die Gerechtigkeit, wenn sie gleich da ist, nicht im Glanz ihrer Reinheit; denn sie hat einen Gegenstand, der ihr, wenn auch noch so wenig, doch einigermaßen widersteht. Deswegen werden Diejenigen wohl zurückgewiesen, welche Willens sind den Richter zu ereifern. Was aber die Wirksamkeit betrifft, so hat die Gerechtigkeit einen Widerstand am Können; denn wenn die Gerechtigkeit eine auf einen Andern bezügliche Thatkraft oder das Vermögen ist, Jedem das Seine zukommen zu lassen, wie wird Jemand jener gemäß wirksam sein? Hieraus ergibt sich, daß, je mächtiger der Gerechte, um so umfassender seine Gerechtigkeit bei der Ausübung sein wird. Dieser Erklärung zufolge möge man so schließen: die Gerechtigkeit ist am mächtigsten in der Welt, wenn sie dem willfährigsten und mächtigsten Gegenstande innewohnt; von der Art ist allein der Monarch, also ist die dem Monarchen allein innewohnende Gerechtigkeit die mächtigste. Dieser Vorschluß geht nach der zweiten Figur mit innerer Verneinung, etwa so: Jedes b ist a, c allein ist a, also ist c allein b. Das heißt: Jedes b ist a, nichts als c ist a, also nichts als c ist b u. s. w. Der Vordersatz erhellt aus der vorhergehenden Erklärung. Der zweite erweist sich folgendermaßen, und zwar zuerst hinsichtlich des Wollens, sodann hinsichtlich des Könnens. Zur Beweisführung des ersten ist zu bemerken, daß der Gerechtigkeit am meisten die Begierde entgegen ist, laut Aristoteles im fünften Buch an den Nikomachus: Nach Wegräumung der Begierde steht der Gerechtigkeit weiter gar nichts entgegen; daher die Meinung des Philosophen ist, daß

Alles, was durch das Gesetz bestimmt werden kann, keineswegs dem Richter überlassen werde. Und dies muß aus Besorgniß vor der Begierde geschehen, welche die menschlichen Gemüther leicht von der Bahn abführt. Wo also kein Wunsch möglich ist, da kann auch keine Begierde sein; denn nach Wegräumung der Gegenstände, müssen auch die Leidenschaften weichen. Aber für den Monarchen gibt es nichts zu wünschen: denn seine Gerichtsbarkeit beschränkt der Ocean allein; was sich nicht von den andern Herrschern sagen läßt, deren Herrschaft von anderen begrenzt wird, z. B. die des Königs von Kastilien von der des Königs von Aragonien. Hieraus folgt, daß der Monarch unter den Sterblichen am lautersten Gerechtigkeit üben kann. Ferner, gleichwie die Begierde die zuständliche Gerechtigkeit einigermaßen, wenn auch noch so wenig, bewölkt, so wird sie durch die Liebe oder die richtige Werthachtung geschärft und erhellt. Wo also die rechte Werthachtung wohnen kann, da kann auch die Gerechtigkeit ihren vorzüglichsten Aufenthalt nehmen: von dieser Art ist der Monarch: also, wo er sich findet, da ist die Gerechtigkeit am mächtigsten, oder kann es sein. Daß aber die rechte Werthschätzung das Erwähnte thut, läßt sich hieraus ersehen. Die Begierde nämlich setzt die menschliche Gesellschaft hintenan und strebt nach Anderem, die Liebe aber sucht mit Verachtung alles Andern Gott und den Menschen, und folglich das Wohl des Menschen. Und da unter andern Gütern des Menschen es das wichtigste ist, in Frieden zu leben (wie oben gesagt wurde) und die Gerechtigkeit dies am meisten und am stärksten bewirkt, so wird die Gerechtigkeit am meisten durch die Liebe gekräftigt werden, und um so stärker, je stärker sie ist. Und daß dem Monarchen von den Menschen am meisten die rechte Werthschätzung innewohnen muß, ergibt sich folgendermaßen: Alles Werthzuschätzende wird um so mehr geschätzt, je näher es dem Schätzenden ist, aber die Menschen sind dem Monarchen näher als den

andern Herrschern: also werden sie von ihm am meisten
geschätzt oder müssen es. Das Erste ist offenbar, wenn
man die Natur des Leidenden und des Thätigen in Betrachtung zieht. Das Zweite ist an sich klar, weil den
übrigen Herrschern die Menschen nur zum Theil sich
nähern, dem Monarchen aber insgesammt; und wiederum
nähern sie sich den übrigen Herrschern durch den Monarchen und nicht im Gegentheil; und so wohnt dem Ersteren zufolge und unmittelbar dem Monarchen die Sorge
für Alle inne, den übrigen Herrschern aber durch den
Monarchen deswegen, weil deren Sorge von jenen höchsten Sorgen abwärtssteigt. Zudem, je nützlicher eine
Ursache ist, desto mehr hat sie die Beschaffenheit der Ursache, weil die niedere Ursache nur vermöge der höheren
Ursache Ursache ist, wie aus der Betrachtung der Ursachen
hervorgeht. Und je mehr die Ursache Ursache ist, desto
mehr schätzt sie den Erfolg, da eine solche Schätzung auf
die Ursache von selbst folgt. Wenn also der Monarch
unter den Sterblichen die nützlichste Ursache ist, damit die
Menschen sich wohl befinden, weil die übrigen Herrscher
es, wie gesagt, erst durch ihn sind, so folgt auch, daß
das Wohl der Menschen von ihm am meisten geschätzt
wird. Daß aber der Alleinherrscher am mächtigsten ist
in der Rechtspflege, wer bezweifelt das, außer, wer dies
Wort nicht versteht, da er als Monarch keine Feinde
haben kann. Der Haupthülfssatz ist also hinreichend
deutlich, weil der Schluß zuverlässig ist, nämlich daß zur
besten Verwaltung der Welt die Monarchie nothwendig ist.

Und das menschliche Geschlecht findet sein Glück zumal in der Freiheit. Dies wird durch den Urgrund der
Freiheit klar werden. Man muß nämlich wissen, daß
der Quell und Grund unsrer Freiheit in der Wahlfreiheit
besteht, welche Viele im Munde, Wenige aber im Verständniß haben; denn sie gelangen wohl so weit, daß sie
sagen, die Wahlfreiheit sei das freie Urtheil des Willens;
und sie sprechen richtig, aber sie verstehen nicht, was in

dem Ausdrucke liegt, wie es einige Denklehrer tagelang mit einigen Sätzen machen, die sie als Beispiel ihrem Vortrag einmischen, wie etwa, daß ein Dreieck drei Winkel hat, die zweien rechten gleich sind. Ich meine nämlich: Urtheil steht in der Mitte zwischen Auffassung und Begehrung. Denn zuerst wird eine Sache aufgefaßt, dann bestimmt das Urtheil, ob sie gut oder schlecht ist, und endlich strebt der Urtheilende nach ihr hin oder von ihr weg. Wenn also das Urtheil durchaus der Begehrung vorangeht, und nicht umgekehrt, so ist es frei. Wenn aber die Begehrung dem Urtheil zuvorkommt und es in Bewegung setzt, so ist es nicht frei, weil es nicht von sich selbst, sondern von einem Andern gefesselt und gezogen wird. Und so können die unvernünftigen Geschöpfe kein freies Urtheil haben, weil ihrem Urtheil stets die Begehrung zuvorkommt. Daher darf man auch schließen, daß die geistigen Wesen, deren Wille unveränderlich ist, sowie die abgeschiedenen vom Körper getrennten Seelen, wegen der Unveränderlichkeit ihres Willens die Wahlfreiheit nicht verlieren, sondern sie behalten sie im höchsten und vollkommensten Grade. Diese Einsicht aber überzeugt uns ferner, daß diese Freiheit, oder dieser Urquell unsrer ganzen Freiheit das größte der menschlichen Natur von Gott verliehene Geschenk ist, weil wir dadurch hier als Menschen und dort als Götter beglückt werden. Wenn sich dies nun so verhält, wer wird dann das menschliche Geschlecht nicht glücklich preisen, weil es vorzugsweise aus diesem Urquell schöpfen kann? Aber unter dem Alleinherrscher stehend ist es am freiesten. Hiebei ist zu bemerken, daß Das recht eigentlich frei ist, was seinetwegen und nicht eines Andern wegen da ist, wie der Philosoph in seiner Schrift über das an sich Seiende lehrt. Denn was eines Andern wegen da ist, das wird bestimmt von diesem Andern, wie ein Weg von seinem Ziel bestimmt wird. Das menschliche Geschlecht ist einzig unter einem Monarchen sein selbst wegen und nicht eines

Andern wegen da. Denn dann allein werden Staaten
falsch verwaltet, ich meine die Demokratieen, Oligarchieen
und Tyranneien, weil sie die Menschen zu Sklaven ma=
chen, wie ein allgemeiner Ueberblick lehrt; und rechte
Staatsverwalter sind die Könige, die Aristokraten, die
man Optimaten nennt, und die Verfechter der Volks=
freiheit. Denn da der Monarch die Menschen am mei=
sten liebt, wie schon berührt, so will er, daß alle Men=
schen gut werden, was unter einer schlechten Staatsein=
richtung nicht möglich ist, daher der Philosoph in seiner
Staatslehre sagt, daß in einem schlechten Staate der
gute Mensch ein schlechter Bürger ist, in einem guten
aber der gute Mensch auch ein guter Bürger. Und der=
gleichen richtige Staatsverfassungen beabsichtigen die Frei=
heit, das heißt, daß die Menschen ihrer selbst wegen da
sind. Denn die Bürger sind nicht wegen der Konsuln,
und das Volk nicht wegen des Königs, sondern umge=
kehrt, die Konsuln wegen der Bürger, der König wegen
des Volks. Und gleichwie der Staat nicht wegen der
Gesetze, vielmehr die Gesetze wegen des Staates gemacht
werden, so richten sich Die, welche nach dem Gesetz leben,
nicht nach dem Gesetzgeber, sondern er vielmehr nach
ihnen, wie auch der Philosoph in Dem sagt, was uns
von ihm über den gegenwärtigen Gegenstand hinterlassen
ist. Daraus folgt auch, daß, wenn gleich Konsul oder
König, hinsichtlich des Wegs die Herren der Uebrigen,
hinsichtlich des Zieles aber die Diener der Uebrigen sind,
und das gilt zumal von dem Monarchen, der ohne
Zweifel für den Diener Aller zu halten ist. Daraus
kann schon einleuchten, daß der Monarch vermöge des
ihm vorgesteckten Zieles der Gesetzgebung bestimmt wird.
Also befindet sich das unter einem Alleinherrscher stehende
Menschengeschlecht am besten. Woraus folgt, daß die
Monarchie zum Wohl der Welt nöthig sei.

Ferner, wer am besten zum Herrschen eingerichtet
sein wird, der kann Andere am besten einrichten. Denn

bei jeder Handlung wird hauptſächlich dahin geſtrebt von
dem Handelnden, mag er aus Naturnothwendigkeit, oder
ungehindert handeln, eine eigenthümliche Aehnlichkeit dar=
zulegen, woher es kommt, daß alles Handelnde, in wie
weit dies erreicht wird, Vergnügen empfindet. Denn da
Alles, was iſt, ſein Daſein bezweckt und bei dem Han=
deln das Daſein des Handelnden gewiſſermaßen erweitert
wird, ſo folgt nothwendig Vergnügen, weil mit der Er=
langung des Begehrten immer Vergnügen verknüpft iſt.
Gar nicht handelt alſo nur Das, was unter der Bedin=
gung vorhanden iſt, daß es leidend zum Daſein gelangen
muß. Deswegen ſagt der Philoſoph in ſeiner Schrift
über das an ſich Daſeiende: Alles, was mit Gewalt
zum Handeln gebracht wird, das wird es nur durch Et=
was, das handelnd vorhanden iſt. Denn wenn es anders
eine Handlung vorzunehmen verſucht, ſo iſt der Verſuch
vergeblich. Bei dieſer Gelegenheit können Diejenigen
enttäuſcht werden, welche durch gute Reden und ſchlechte
Werke Andrer Leben und Sitten zu beſſern glauben,
ohne zu bedenken, daß Jakob's Hände mehr als ſeine
Worte überredeten, obgleich jene zum Falſchen, dieſe zum
Wahren überredeten. Daher der Philoſoph an den Ni=
komachus die Worte richtet: In Allem, was Leiden und
Handeln betrifft, flößen Reden weniger Glauben ein als
Thaten. Daher erſcholl es auch vom Himmel herab zum
ſündhaften David: Warum erzählſt du meine Gerechtig=
keit? als ſollte dies heißen: Du ſprichſt vergebens, wenn
du anders biſt, als du ſprichſt. Hieraus folgt, daß Der=
jenige am beſten eingerichtet ſein muß, der Andre aufs
Beſte einrichten will. Aber der Monarch iſt allein Der,
welcher zum Herrſchen am beſten eingerichtet ſein kann.
Dies erhellt folgendermaßen: Ein jedes Ding wird um
ſo leichter und vollkommner für einen Zuſtand oder für
eine Thätigkeit eingerichtet, je weniger von Widerſpruch
gegen eine ſolche Einrichtung in ihr iſt; weshalb Dieje=
nigen leichter und vollkommner zu dem Beſitz philoſo=

phiſcher Wahrheit gelangen, welche nie etwas hörten, als
Diejenigen, welche zu Zeiten hörten und mit falſchen
Meinungen erfüllt ſind. Deshalb ſagt Galenus nicht
übel, daß dergleichen Leute doppelte Zeit gebrauchen, um
Kenntniß zu erlangen. Da nun der Monarch keine Gelegenheit zur Begierde haben kann, oder doch die men-
ſchenmindeſte, wie oben gezeigt, was bei den übrigen Herr-
ſchern nicht der Fall iſt, und die Begierde eben allein
das Urtheil verderbt und die Gerechtigkeit hindert, ſo folgt,
daß er völlig oder doch vorzüglich gut zum Herrſchen
eingerichtet iſt, weil er unter den Uebrigen vorzugsweiſe
Urtheile fällen und Gerechtigkeit üben kann. Dieſe beiden Geſchäfte ſind es aber, welche einem Geſetzgeber und
Geſetzverwalter hauptſächlich zukommen, dem Zeugniß
jenes hochheiligen Königes zufolge, als er das einem Könige und dem Sohne eines Königes Zukommende for-
derte. Gib, o Gott, ſagte er, dem Könige dein Urtheil,
und dem Sohne des Königs Gerechtigkeit. So iſt es
denn mit Recht geſagt, wenn es in dem Hülfsſatze heißt,
daß der Monarch allein Der iſt, welcher zum Herrſcher
am beſten eingerichtet ſein kann. Alſo kann der Monarch
allein Andre am beſten einrichten. Und hieraus folgt,
daß die Monarchie zum Heil der Welt nothwendig ſei.

Und was durch Eins geſchehen kann, das geſchieht
beſſer durch Eins als durch Mehreres. Dies erhellt ſo:
das Eins, durch welches etwas geſchehen kann, heiße a,
und das Mehrere, durch welche es gleichfalls geſchehen
kann, heiße a und b. Wenn nun Daſſelbe, was durch
a und b geſchieht, durch das a allein geſchehen kann,
ſo nimmt man b unnöthigerweiſe hinzu, wenn die Hin-
zunahme nichts mehr bewirkt, als was zuvor ſchon durch
das bloße a bewirkt ward. Und wenn jede dergleichen Hin-
zunahme unnütz und überflüſſig iſt, und alles Ueberflüſſige
Gott und der Natur misfällt, und Alles, was Gott und der
Natur misfällt, ein Uebel iſt, wie ſich von ſelbſt verſteht: ſo
folgt, daß es nicht blos beſſer ſei, es geſchehe Etwas, ſofern

es geschehen kann, durch Einen, als daß es durch Mehrere ge=
schehe; sondern, daß es durch Einen geschehe, ist gut, durch
Mehrere ist übel an sich. Das Erstere wird besser genannt,
weil es dem Besten näher steht und das bestimmte Ziel be=
rücksichtigt. Aber daß es durch Einen geschieht, steht dem
Ziel näher nnd ist demnach besser. Und daß es ihm näher
steht, erhellt hieraus: die Aufgabe sei, c werde erreicht durch
das eine a oder durch das Mehrere a und b; so ist
deutlich, daß der Weg von a durch b nach c weiter sei,
als blos von a nach c. Aber das menschliche Geschlecht
kann von Einem Oberherrscher regirt werden, und das ist
der Monarch, wobei freilich zu bemerken ist, daß der Aus=
druck, das menschliche Geschlecht kann nur durch Einen
obersten Herrscher regirt werden, nicht zu verstehen sei,
als ob die kleinsten Rechtshändel eines jeden Städtchens
von ihm allein unmittelbar entschieden werden könnten,
wiewol auch die städtischen Gesetze bisweilen nicht zurei=
chen und der Leitung bedürfen, wie der Philosoph sagt,
wenn er im fünften Buch an den Nikomachus ἐπιείκειαν em=
pfiehlt. Denn Völkerschaften, Reiche und Bürgerschaften
haben Eigenthümlichkeiten, die nicht durch gleiche Gesetze
geregelt werden müssen. Denn das Gesetz ist die leitende
Regel des Lebens. Anders müssen allerdings die Scy=
then geregelt werden, die jenseit des siebenten Himmels=
strichs leben, einer großen Ungleichheit der Tage und
Nächte unterworfen sind und von einem unerträglichen
Frost heimgesucht werden. Anders auch die Garamanten,
die unter der Tag= und Nachtgleiche wohnen, stets ein
der nächtlichen Finsterniß gleiches Tageslicht haben und
wegen der übermäßig erhitzten Luft nackt gehen. Son=
dern der Sinn ist dieser, daß das menschliche Geschlecht
dem Allen gemeinschaftlich Zukommenden gemäß von ihm
regirt, und durch eine gemeinschaftliche Regel friedlich
geleitet werde. Dieses Leitmaß oder Gesetz müssen die
besonderen Herrscher von ihm empfangen, sowie etwa
der handelnde Verstand zum wirkungsfähigen Schlusse

den stärkeren Vorsatz von dem forschenden Verstande empfängt, und unter ihn den besondern, der sein eigen ist, aufnimmt und einzeln zur Wirksamkeit den Schluß macht. Und dies ist Einem nicht blos möglich, sondern muß von Einem ausgehen, damit jede Verwirrung über das Urnützliche verhütet werde. Daß dies durch ihn auch gethan sei, schreibt Moses selbst im Gesetze, der den aus den Zünften Israels hinzugenommenen Häuptlingen die niederen Gerichtsgeschäfte überließ, die höheren und gemeinschaftlichen aber sich allein vorbehielt, welcher gemeinschaftlichen sich die Häuptlinge in ihren Zünften je nach dem Bedürfniß einer jeder Zunft bedienten. So ist es denn besser, daß das Geschlecht der Menschen durch Eins regirt werde, als durch Mehreres, also durch einen Monarchen als einzigen Herrscher. Und so ist es besser und gottgefälliger, da Gott stets das Bessere will. Und wenn von diesen zwei Fällen nur eben dieser der bessere und der beste ist, so folgt, daß dieser von den beiden Fällen des Einen und des Mehreren Gott nicht allein gefälliger, sondern am gefälligsten sei. Daher steht es um das Menschengeschlecht am besten, wenn es von Einem regirt wird. Und so ist denn die Monarchie zum Heil der Welt nothwendig.

Desgleichen sage ich, daß ein einziges Ding und ein gutes Ding sich stufenweise nach der ersten Redeweise verhalten. Denn die Natur bringt ein einziges Ding hervor, dies Eine aber als ein gutes. Denn sofern es am meisten ein Ding ist, ist es am meisten Eins, und sofern am meisten Eins, am meisten gut. Und um wie viel es sich davon entfernt, am meisten ein Ding zu sein, um so viel auch Eins zu sein, und folglich gut zu sein. Denn in aller Art von Dingen ist das das beste, das am meisten Eins ist, wie der Philosoph behauptet in seiner Schrift von dem Sein an sich. Daher erscheint das Einssein als die Wurzel des Gutseins und das Vielsein als die Wurzel des Schlechtseins. Auch Pythagoras setzte in seinen Entgegenstellungen die Einheit auf die Seite des Guten, die Mehrheit aber auf die Seite des Bösen: wie zu ersehen in dem ersten Kapitel über das Sein an sich. Sündigen scheint daher nichts Andres zu sein als die Einheit verlassen und zur Vielheit übergehen, was auch der Psalmist bestätigt, wenn er sagt: durch die Frucht des Getreides, Weins und Oels haben sie sich vervielfältigt. Hieraus ergibt sich, daß Alles, was gut ist, dadurch gut ist, daß es aus der Einheit besteht. Und da die Eintracht, soweit sie es ist, etwas Gutes ist, so erhellt, daß sie aus einer Einheit, wie aus einer eigenen Wurzel bestehe, welche Wurzel klar werden wird, wenn man die Natur oder Beschaffenheit der Eintracht untersucht. Denn die Eintracht ist die gleichförmige Bewegung mehrerer Willenskräfte, in welcher Beschaffenheit liegt, der Begriff der Einheit der Willenskräfte durch gleichförmige Bewegung sei die Wurzel der Eintracht oder die Eintracht selbst. Denn sowie wir mehrere Schollen einträchtig nennen würden, weil sie alle nach dem Mittelpunkt sich neigen und mehrere Flammen, weil sie alle nach dem Umkreis emporsteigen, sofern sie mit freiem Willen begabt wären, so nennen wir mehrere Menschen einträchtig, sofern sie sich zugleich nach Einem Willen bewegen, denn dies ist die Form des Willens, sowie Eine Beschaffenheit der Form nach in den Schollen ist, nämlich die Schwere, und Eine in den Flammen, nämlich die Leichtigkeit. Denn die Willenskraft ist ein Vermögen, aber die Ergreifung des Guten ist als Aeußeres die Form. Diese Eine Form, gleichwie andre, vervielfacht sich freilich in sich nach der Vielheit des aufnehmenden Stoffes, z. B. die Seele und die Zahl, und andre die Zusammensetzung betreffenden Formen. Nachdem dies vorausgeschickt ist zur Erklärung des für die Aufgabe angenommenen Vordersatzes läuft der Beweis so: Alle Eintracht hängt von der Willenseinheit ab. Das menschliche Geschlecht ist, wenn es sich wohl befindet, gleichsam eine

Eintracht; denn wie Ein sich wohl befindender Mensch sowol in Rücksicht der Seele als des Körpers eine Eintracht ist, und demgemäß ein Haus, eine Bürgerschaft, ein Reich: so auch die ganze Menschheit. Also hängt das Menschengeschlecht in seinem höchsten Wohlbefinden von der Willenseinheit ab. Aber dies ist nicht anders möglich, als wenn der Eine Wille der Gebieter und Vereiniger aller andern Willen ist, da der Wille des Menschen wegen der verführerischen Reize in der Jugend der Leitung bedarf, wie der Philosoph am Ende seiner Schrift an den Nikomachus. Und dieser kann nicht ein einziger sein, wenn nicht ein einziger Regirer Aller da ist, dessen Wille der Gebieter und Vereiniger aller übrigen sein kann. Wenn nun alle bisherigen Schlußfolgen wahr sind, wie sie es sind, so muß, damit das menschliche Geschlecht sich wohl befinde, nothwendig ein Monarch in der Welt sein, und folglich zum Wohle der Welt eine Monarchie.

Alle obigen Gründe bestätigt eine merkwürdige Erfahrung, nämlich jener Zustand der Menschen, welchen der Sohn Gottes, als er zum Heil des Menschen den Menschen anziehen wollte, entweder erwartete, oder, weil es sein Wille war, selbst anordnete. Denn wenn wir vom Fall der ersten Menschen, als dem Anfang unsers ganzen Irrweges, die Anordnungen der Menschen und die Zeiten durchblicken, so werden wir finden, daß nur unter dem göttlichen Augustus als Monarchen die Welt in einer vollkommenen Monarchie ruhig gewesen sei. Und daß das Menschengeschlecht damals glücklich war in der Ruhe des allgemeinen Friedens, das haben alle Geschichtschreiber, alle erlauchten Dichter, ja auch der Aufzeichner der Langmuth Christi für werth gehalten zu bezeugen. Endlich nannte auch Paulus jenen glücklichsten Zustand die Erfüllung der Zeit. Und in der That verdienten Zeit und alles Zeitliche den Ausdruck der Fülle, weil kein Geheimniß unsers Glückes eines Dieners ermangelte. Wie es aber mit dem Erdkreise bestellt gewesen sei, seitdem jenes unzerreißbare Gewand durch die Kralle der Begierde uranfänglich einen Riß erlitten habe, können wir theils lesen, theils, wollte Gott, nicht erblicken. O Menschheit, von welchen Stürmen und Verlusten, von welchen Schiffbrüchen mußt du heimgesucht werden, seitdem du ein vielköpfiges Ungeheuer geworden bist, auseinanderstrebst und deine Einsicht, die eine und die andere darniederliegt, und demgemäß auch der Trieb. Troß unwiderleglicher Gründe achtest du nicht auf die höhere, troß des Antlißes der Erfahrung nicht auf die niedere Einsicht, aber auch nicht auf den Trieb troß der Süßigkeit der göttlichen Anmahnung, wenn die Trommete des heiligen Geistes dir zuruft: Siehe, wie fein und lieblich ist es, daß Brüder einträchtig bei einander wohnen!

# Zweites Buch.

Wie das römische Volk das Amt der Monarchie oder des Kaiserthums mit Recht übernommen habe.

Warum toben die Völker und reden die Leute so vergeblich? Die Könige im Lande lehnen sich auf, und die Herren rathschlagen mit einander wider den Herrn und seinen Gesalbten? Lasset uns zerreißen ihre Bande und von uns werfen ihr Joch. Sowie wir der Ursache nicht ins Gesicht schauend einer neuen Wirkung uns gemeinschaftlich wundern, so sehen wir, nachdem sich die Ursache uns zeigte, auf Diejenigen, welche in der Verwunderung verharren, mit einer gewissen Verachtung herab. So wunderte ich mich auch einst, daß das römische Volk sich hier auf Erden, ohne Widerstand zu finden, an die Spitze gestellt habe, weil ich bei einer oberflächlichen Betrachtung desselben glaubte, daß es widerrechtlich und nur durch Gewalt der Waffen zu diesem Vorzug gekommen sei. Aber nachdem ich mit den Augen des Geistes tief in das Mark eindrang und mich die überzeugendsten Merkmale belehrten, daß dies der Wille der göttlichen Vorsehung war, trat an die Stelle der Verwunderung eine fast mit Spott verbundene Nichtachtung, wenn ich erfuhr, daß

2*

34

die Völker gegen diesen Vorrang des römischen Volkes
gemurrt haben, wenn ich sehe, daß die Leute Eitles reden,
wie ich selber that; wenn ich zumal die Könige und
Fürsten bedaure, die in dem Punkt allein übereinkommen,
daß sie sich gegen ihren Herrn und seinen gesalbten römischen Herrscher auflehnen. Deshalb kann ich nicht anders
als verächtlich und nicht ohne Schmerz, wie der Psalmist
für den Herrn des Himmels, so für das glorreiche Volk
und den Kaiser ausrufen: Warum toben die Völker
und reden die Leute so vergeblich? Die Könige im Lande
lehnen sich auf und die Herren rathschlagen mit einander
wider den Herrn und seinen Gesalbten. Aber weil die
natürliche Liebe nicht zuläßt, daß der Spott lange an-
halte, sondern gleich der Sommersonne, welche durch
ihren Aufgang den Morgennebel zerstreut und mit Licht
bestralt, des Spottes vergessend lieber das Licht des
Heiles ausströmen will, um die Hüllen der Unwissenheit
bei dergleichen Königen und Herren zu zerreißen und zu
zeigen, daß das menschliche Geschlecht von ihrem Joche
befreit sei, so will ich mit dem hochheiligen Propheten,
ihm folgend, mich selbst ermahnen und weiter, wie folgt,
mit ihm sprechen: Lasset uns zerreißen ihre Bande und
ihr Joch von uns werfen. Und dies wird zur Genüge
geschehen, wenn ich den zweiten Theil meines gegenwärtigen Vorhabens ausgeführt und die Wahrheit des in
Rede stehenden Satzes dargethan haben werde. Denn
durch den Beweis, daß die römische Herrschaft eine rechtmäßige gewesen sei, wird nicht allein von den Augen
derjenigen Herrscher, welche in verkehrter Meinung über
das römische Volk sich das Ruder des Staats anmaßen,
der Nebel der Unwissenheit hinweggenommen werden,
sondern die Menschen alle werden wieder erkennen, daß
sie von dem Joche dieser Anmaßer frei sind. Die Wahrheit der Behauptung erhellt nicht allein durch das Licht
der menschlichen Vernunft, sondern auch durch den Stral
des göttlichen Ansehens. Da sich diese beiden vereinigen,

muß Himmel und Erde gemeinschaftlich ihnen beipflichten. Daher gestützt auf das bezeichnete Vertrauen und auf das Zeugniß der Vernunft und der Offenbarung mich verlassend, schreite ich zur Untersuchung der zweiten Aufgabe.

Und so ist es denn, nachdem die Wahrheit des ersten Punktes, so weit der Stoff es erlaubt, genügend erwogen ist, meine Absicht, die zweite Frage, nämlich, ob das römische Volk die Würde des Kaiserthums rechtmäßig übernommen habe, in Betrachtung zu ziehen. Es wird aber vor Allem die Untersuchung vorauszuschicken sein, was denn eigentlich der Punkt sei, auf welchen die Gründe der gegenwärtigen Betrachtung, wie auf ihren Grund und Quell sich zurückbeziehen. So ist denn zu bemerken, daß, gleichwie sich bei der Kunst etwas Dreifaches findet, nämlich der Geist des Künstlers, das Werkzeug und der durch den Künstler gebildete Stoff, bei der Natur gleichfalls etwas Dreifaches statthabe, nämlich der Geist des ersten Bewegers, das heißt, Gottes, sodann der Himmel als gleichsam das Werkzeug der Natur, vermittelst dessen ein Bild der ewigen Güte sich dem fließenden Stoffe eindrückt. Und gleichwie unter Voraussetzung eines vollkommenen Künstlers und eines trefflichen Werkzeuges ein zufälliger Fehler an dem Kunstwerke nur dem Stoffe zuzuschreiben ist: so bleibt, da Gott im höchsten Grade vollkommen ist, und sein Werkzeug (der Himmel) keinem Mangel an hinreichender Vollkommenheit unterworfen ist, wie aus unsern Untersuchungen über den Himmel hervorgeht, nichts übrig, als daß jeder Fehler an den irdischen Dingen in dem dabei zum Grunde liegenden Stoffe sich befinde und von Gott und dem Himmel nicht beabsichtigt sei, und daß andererseits alles Gute an den menschlichen Dingen, da es von dem Stoffe selbst nicht herrühren könne, von Gott als dem Künstler, bei dem die urerste Gewalt ist, und demnächst von dem mitwirkenden Himmel herrühre als dem Werkzeug des göttlichen Kunstwerkes, das wir

insgemein die Natur nennen. Hieraus leuchtet schon
hervor, daß das Recht, da es etwas Gutes ist, dem
göttlichen Geiste eignet, und da Alles, was im Geiste
Gottes ist, Gott ist (laut Ausspruches: die That ist das
Leben des Thäters) und Gottes Wille sich am meisten
auf ihn selbst bezieht, so folgt, daß das Recht von Gott
sintemal es in ihm ist, gewollt sei. Und da der Wille
und das Gewollte in Gott eins und dasselbe ist, so folgt
weiter, daß der göttliche Wille das Recht selbst sei. Und
abermals folgt hieraus, daß das Recht in den Dingen
nichts Anderes sei als ein Bild des göttlichen Willens.
Daher kommt es, daß Alles, was mit dem göttlichen
Willen nicht übereinstimmt, selbst nicht Recht sein kann,
und Alles, was mit dem göttlichen Willen übereinstimmt,
selbst Recht ist. Untersuchen, ob etwas mit Recht ge=
schehen sei, heißt also, wenn gleich mit andern Worten
doch nichts anderes, als ob es nach Gottes Willen ge=
schehen sei. So darf man demnach voraussetzen, daß
Das, was Gott in der menschlichen Gesellschaft will, für
ein wahres und lauteres Recht zu halten sei. Außerdem
muß man sich erinnern, daß, wie der Philosoph in den
ersten Büchern an den Nikomachus lehrt, nicht jeder
einzelne Stoff dieselbe Sicherheit gewährt, sondern nur
in dem Maße, als es die Beschaffenheit des besondern
Dinges zuläßt. Hiefür werden sich nach Auffindung der
Grundursache hinlängliche Beweise vorfinden, wenn aus
den offenkundigen Zeichen und den Aussprüchen der
Weisen das Recht jenes ruhmvollen Volkes in Betrachtung
kommt. Der Wille Gottes ist freilich an sich unsichtbar,
und Gottes unsichtbarer Wille läßt sich nur durch seine
Werke vermöge des Geistes erblicken. Denn ist gleich
sein Siegelring verborgen, so gibt das von ihm beprägte
Wachs trotz der Verborgenheit offenbares Zeugniß. Auch
ist es kein Wunder, wenn der göttliche Wille an den
Abbrücken erscheint, daß auch der menschliche ohne den
Wollenden nur an den Abbrücken erkannt werde.

Die Behauptung nun, daß das römische Volk rechtmäßig und ohne Anmaßung das Amt des Monarchen,
oder das Kaiserthum, ausschließlich übernahm, wird zuerst
folgendermaßen bewiesen. Dem edelsten Volke kommt es
zu, allen andern vorgezogen zu werden. Das römische
Volk war das edelste; folglich kommt es ihm zu, allen
andern vorgezogen zu werden. Denn, dies müssen wir
hinzunehmen, da die Ehre die Belohnung der Tugend
und jede Bevorzugung eine Ehre ist, so ist jede Bevorzugung eine Belohnung der Tugend. Aber es ist bekannt,
daß Menschen durch das Verdienst der Tugend geadelt
werden, nämlich der eigenen Tugend oder der ihrer Vorfahren. Denn unter Adel versteht man Tugend und
alten Reichthum[1], dem Philosophen in der Redekunst gemäß. Auch laut Juvenal:

— — — Adel ist eins, besgleichen ist eines die Tugend.

Diese beiden Ausdrücke beziehen sich auf einen doppelten
Adel, den eigenen und den der Vorfahren. Den Edlen
also ist der Ursache gemäß der Lohn der Bevorzugung
angemessen. Und da die Belohnungen den Verdiensten
anzumessen sind laut des evangelischen Spruches: Mit
demselben Maaße, womit ihr meßt, sollet ihr wieder gemessen werden, so ziemt dem Edelsten der größte Vorzug.
Für den Untersatz aber sprechen die Zeugnisse der Alten.
Denn unser göttlicher Dichter Virgil bezeugt zum ewigen
Andenken die ganze Aeneide hindurch, daß der glorreiche
König Aeneas der Vater des römischen Volkes gewesen
sei, und Titus Livius, der ausgezeichnete Beschreiber
der römischen Thaten, stimmt ihm bei im ersten Theil
seines Werkes, das von der Eroberung Trojas beginnt.
Von welchem Adel aber dieser so milde und fromme

---

[1] Siehe die dritte in der vierten Abhandlung des Gastmahls
erklärte Kanzone.

Vater gewesen sei, nicht nur anlangend seine eigene Tugend, auch die seiner Vorfahren und seiner Gemahlinnen, deren beiderseitiger Adel durch Erbrecht auf ihn überging, möchte ich nicht auseinanderzusetzen vermögen; ich will nur den Spuren obenhin folgen. In Betreff also seines eigenen Adels ist unser Dichter zu vernehmen, der in dem ersten Buche den Ilioneus also sprechen läßt:

König war uns Aeneas, dem nicht in Gerechtigkeit Einer,
Nicht in Frömmigkeit ja, noch in Krieg und Waffen zuvorging.

Zu vernehmen ist derselbe im sechsten Buche, der, als er vom Tode des Misenus, des ehemaligen Kriegsgenossen des Hektor und nachmaligen Kriegsgenossen des Aeneas spricht, den Misenus als Einen schildert, der selber sich nicht herabgesetzt habe, indem er den Aeneas mit dem Hektor vergleicht, dem von Homer vor Allen gepriesenen, wie der Philosoph berichtet in dem Abschnitte über das in sittlicher Hinsicht zu Vermeidende an den Nikomachus. Was aber den geerbten Adel betrifft, so findet sich, daß jeglicher Theil des dreigetheilten Erdkreises sowol durch Ahnherren als durch Gattinnen ihn geadelt habe; Asien nämlich durch nähere Altvordern, z. B. den Assarakus, und Andere, welche in Phrygien herrschten, einer asiatischen Landschaft, weshalb unser Dichter im dritten Buche sagt:

Als nun Asiens Macht und dem Priamus Götterentscheidung
Sein unschuldiges Volk ausrottete —

Europa aber durch jenen uralten Darbanus, und auch Afrika durch die Urmutter Elektra, die Tochter des Atlas, des Königs von großem Rufe; wie von Beiden unser Dichter im achten Buche zeugt, wo Aeneas zum Evander also spricht:

Darbanus, Ahn und Stifter der ilischen Veste vor Alters,
Sohn, wie der Grajer erzählt, der atlantischen Heldin Elektra —

Daß aber Dardanus von der Europa abstammte, singt
unser Seher im dritten Buche folgendermaßen:

Westlich liegt ein Land, Hesperia nennt es der Grajer,
Alternden Ruhms, durch Waffen gelobt und ergiebige Scholle,
Einst vom önotrischen Volke bewohnt; nun, sagt man, die
                                                    Jüngern
Nannten es Italerland, von Italus' Namen, des Führers.
Dort wird eigener Sitz uns, und Dardanus stammet von dorther.

Daß aber Atlas aus Afrika war, deß zeugt der dor-
tige Berg durch seinen Namen, den Orosius in seiner
Beschreibung der Erde nach Afrika versetzt mit den
Worten: Die äußerste Grenze ist aber daselbst der Berg
Atlas und die sogenannten glücklichen Inseln. Daselbst,
das heißt, in Afrika, weil er von diesem Erdtheil sprach.
Desgleichen finde ich, daß er auch durch eheliche Verbindung geadelt war; denn seine erste Gemahlin war
Kreusa, die Tochter des Königs Priamus in Asien, wie
aus dem oben Angeführten hervorgeht. Und daß sie
seine Gemahlin war, bezeugt unser Dichter im dritten
Buche, wo Andromache den Aeneas als Vater nach
seinem Sohne Askanius so fragt:

Was benn macht dein kleiner Askanius? Lebt er und athmet?
Den dir, als Troja bereits aufflammte, Kreusa geboren?

Die zweite war Dido, die Königin und Mutter der
Karthager in Afrika. Und daß sie seine Gattin war,
bezeugt derselbe Dichter im vierten Buche, wenn er von
der Dido sagt:

Und nicht heimliche Freuden ersinnt die schmachtende Dido;
Ehe nennt sie es, also wird Schuld durch Namen beschönigt.

Die dritte war Lavinia, die Mutter der Albaner und
Römer, und des Königs Latinus Tochter zugleich und
Erbin, laut Zeugnisses unsers Dichters im letzten Buch,
wo er den besiegten Turnus sich so flehend an den Aeneas
wenden läßt:

2**

— — Du siegtest: und daß ich besiegt ausstreckte die Hände,
Sah der Ausonier Heer. Dir ist Lavinia Gattin.

Diese letzte Gattin war aus Italien, dem edelsten
Lande von Europa. Wer ist nun nach dem Erweis des
Untersatzes nicht vollkommen überzeugt, daß der Vater
des römischen Volkes und folglich das römische Volk
selbst das edelste unter dem Himmel gewesen sei? Oder
wer kann bei jenem doppelten Zusammenfluß des Blutes
aus jedem Theil der Erde auf einen einzigen Mann die
göttliche Vorausbestimmung verkennen?

Auch daß zu seiner Vollendung die Beistimmung der
Wunder ihm zu Hülfe kommt, ist von Gott gewollt,
und geschieht folglich mit Recht, und daß dies wahr sei,
ist augenscheinlich. Denn Thomas sagt in seinem dritten
Buche gegen die Heiden: Wunder ist, was gegen die
den Dingen insgemein inwohnende Ordnung von Gott
geschieht. Daher billigt er es auch, daß es allein Gott
zukomme, Wunder zu thun, und dies wird ferner erhärtet
durch die Worte des Moses bei Gelegenheit der Läuse,
wenn er die Magier des Pharao, welche sich der Natur-
gesetze verschlagen bedienten, hier aber nichts ausrichten
konnten, sagen läßt: Das ist Gottes Finger. Wenn
also das Wunder eine unmittelbare Wirkung der Urkraft
ist ohne Mitwirkung der Hülfskräfte, wie Thomas selbst
in dem angezogenen Buche sattsam darthut, sofern es
zu Gunsten eines Menschen angewandt wird: so ist es
Frevel zu behaupten, Dasjenige, dem eine solche Gunst
erzeigt wird, sei nicht von Gott, gleichsam eine von ihm
zuvorbedachte Gewogenheit, vermöge deren es ihm gefiel,
einen Widerspruch mit sich selbst zuzulassen. Dem römischen Reiche kam zu seiner Vollendung die Beistimmung
der Wunder zu Hülfe; es ist demnach von Gott gewollt
und folglich mit Recht so geschehen und besteht noch.
Daß aber Gott zur Vollendung des römischen Reiches
Wunder gethan hat, wird durch die Zeugnisse erlauchter
Schriftsteller bestätigt. Denn als Numa Pompilius, der

zweite König der Römer, nach heidnischem Gebrauche
opferte, soll ein Schild vom Himmel in die von Gott
auserwählte Stadt gefallen sein nach dem Zeugniß des
Livius im ersten Theil, welches Wunders Lucan im neunten Buche der Pharsalien gedenkt, indem er die unglaub-
liche Gewalt des Südwindes, welchen Libyen zu leiden
hat, beschreibt mit folgenden Worten:

So stürzten hernieder
Jene dem Opferer Numa gewiß, die der Jünglinge Auswahl
Trägt mit patricischem Nacken; es hatte der Süd sie geraubet
Oder der Nordwind Völkern, die unsre Ancilien tragen.

Und als die Gallier schon die Stadt erobert hatten,
und auf die Finsterniß der Nacht sich verlassend, heimlich
zum Kapitolium hinanstiegen, das allein noch dem völli-
gen Untergange des römischen Namens entgangen war,
soll nach dem übereinstimmenden Zeugniß des Titus Livius
und vieler andern erlauchten Schriftsteller eine daselbst
zuvor nicht gesehene Gans die Ankunft der Gallier durch
ihren Ruf angezeigt und die Wächter zur Vertheidigung
des Kapitoliums angespornt haben, welches Ereignisses
auch unser Dichter gedachte, als er den Schild des Aeneas
im achten Buche beschrieb, und zwar so:

Oben stand, zur Hut des tarpejischen Hortes bestellet,
Manlius, welcher den Tempel und dich, Kapitolium, schützte;
Frisch war das Königshaus mit romulischem Halme gedecket.
Siehe, die silberne Gans durchflatterte goldene Hallen,
Aengstlichen Flugs, ankündend, die Gallier sei'n an der Schwelle.

Daß aber, als der römische Adel vor dem Drange
Hannibal's dahinsank, und als die Punier nur noch eines
Angriffes bedurften, um Rom von Grund aus zu vertilgen,
die Sieger durch ein plötzliches und unerträgliches Hagel-
wetter abgehalten wurden, ihren Sieg bis zur Stadt zu
verfolgen, erzählt Livius unter andern Ereignissen in
seiner Beschreibung des punischen Krieges. War nicht
Clölia's Flucht wunderbar, als sie, ein Weib und zwar

gefangen bei der Belagerung von Porſenna, die Ketten
zerbrach und mit Gottes wunderſamem Schuße die Tiber
durchſchwamm, wie faſt alle Geſchichtſchreiber Roms zu
ihrem Ruhme melden? So ziemte es freilich Dem zu
verfahren, der Alles in Schönheit und Ordnung von
Ewigkeit vorherſah, damit er, der da ſichtbar war, um
Wunder ſtatt des Unſichtbaren zu offenbaren, zugleich
unſichtbar ſtatt des Sichtbaren jenes offenbarte.

Jeder, der überdies das Wohl des Staates beabſichtigt, der beabſichtigt auch den Zweck des Rechtes,
und daß dieſer Schluß zu machen ſei, erweiſt ſich ſo.
Das Recht iſt die ſächliche und perſönliche Angemeſſenheit
des Menſchen zum Menſchen, deſſen Aufrechterhaltung
die menſchliche Geſellſchaft aufrechterhält und das Verderbte verderbt. Denn jene Sammlung von Rechts-
ſchriften oder Digeſten beſtimmt nicht, was Recht iſt,
ſondern bezeichnet es nur durch die Kunde von der An-
wendung deſſelben. Wenn alſo jene Begriffsbeſtimmung
das Was und Warum wohl in ſich begreift, und wenn
der Zweck jeder geſellſchaftlichen Vereinigung das gemeinſame Wohl der Theilnehmer iſt, ſo muß der Zweck jedes
Rechtes das gemeinſame Wohl ſein, und ſo kann Das
unmöglich Recht ſein, was nicht auf das gemeinſame
Wohl gerichtet iſt. Deswegen ſagt auch Tullius im
erſten Buche der Redekunſt richtig: Immer ſind die
Geſetze auf das Wohl des Staates zu beziehen. Wenn
die Geſetze nicht auf das Wohl Derer, die unter dem
Geſetze ſtehen, hingerichtet ſind, ſo ſind es nur dem
Namen nach Geſetze, in der That können es aber nicht
Geſetze ſein. Denn die Geſetze müſſen die Menſchen
wegen allgemeinen Nutzens mit einander verknüpfen.
Deswegen nennt Seneka in dem Buche über die vier
Tugenden das Geſetz ſehr paſſend ein Band der menſch-
lichen Geſellſchaft. Es leuchtet alſo ein, daß, wer das
Wohl des Staates, auch den Zweck des Rechtes im Auge
hat. Wenn alſo die Römer das Wohl des Staates

beabsichtigten, so läßt sich mit Wahrheit sagen, daß sie
den -Zweck des Rechtes beabsichtigten. Daß aber das
römische Volk das bezeichnete Wohl im Auge hatte, als
es sich den Erdkreis unterwarf, das predigen seine Thaten,
bei welchen fern von aller Begierde, die dem Staate
immer abgewandt ist, und mit freisinniger Hinneigung
zum allgemeinen Frieden, jenes heilige, fromme und
glorreiche Volk seine eigenen Vortheile vernachlässigt zu
haben scheint, um dem öffentlichen Wohle des menschlichen Geschlechtes zu dienen.   Daher steht mit Recht geschrieben: Das römische Reich ist aus dem Quell der
Frömmigkeit hervorgegangen.   Aber weil über die Absicht
aller wahlmäßig Handelnden nichts offenbar, sondern in
dem Geiste des Beabsichtigers beschlossen ist, ausgenommen durch äußere Zeichen, und die geschichtlichen Zeugnisse nach dem zum Grunde liegenden Stoffe, wie oben
gesagt, zu beurtheilen sind: so wird es hier genügen,
wenn über die Absicht des römischen Volkes die unbe-
zweifelbaren Zeichen sowol an den gesellschaftlichen Ver-
einen als an einzelnen Personen aufgezeigt werden. Hinsichtlich der Vereine, durch welche die Menschen mit
einem gewissen Rechte an den Staat pflichtmäßig geknüpft sind, genügt schon allein der Ausspruch des Cicero
im zweiten Buch über die Pflichten.   So lange, sagt
er, die Herrschaft sich durch gute, nicht durch schlechte
Thaten mit dem Staate verband, gab es nur Kriege
für die Bundesgenossen oder für die Herrschaft: das Ende
der Kriege war entweder mild oder nothwendig, ein Hafen,
ein Zufluchtsort für Könige, Völker und Völkerschaften.
Unsere Rathsherren aber und Obrigkeiten und Kriegs-
obersten suchten besonders durch billige und getreue Vertheidigung der Landschaften und der Bundsgenossen sich
Ruhm zu erwerben, und dieses Verhältniß konnte daher
mehr eine Vormundschaft über den Erdkreis als eine
Herrschaft genannt werden. So weit Cicero.   Ueber
einzelne Personen aber will ich mich kurz fassen.   Muß

man aber nicht sagen, daß. Diejenigen das allgemeine
Wohl beabsichtigten, welche es unternahmen mit Schweiß,
mit Armuth, mit Verbannung, mit Trennung von ihren
Kindern, mit Verlust von Gliedern, ja mit dem Opfer
ihres Lebens das öffentliche Wohl zu befördern? Hinter-
ließ uns nicht Cincinnatus ein hochheiliges Vorbild, indem
er, der vom Pfluge zur Diktatur berufen wurde, nach
vollendetem Geschäfte seine Würde freiwillig niederlegte,
wie Livius erzählt? Und nach dem Siege, nach dem
Triumphe lieferte er den Feldherrenstab den Consulen
wieder aus und kehrte zur Pflugsterze hinter seine Ochsen
zurück. Seiner Großthat war denn auch Cicero eingedenk,
als er in seiner Schrift gegen den Epikur über das
höchste Gut spricht. Daher, sagt er, führten auch unsere
Vorfahren jenen Cincinnatus vom Pfluge weg, daß er
Diktator sei. Gab uns nicht Fabricius ein anderes Muster
im Widerstande gegen die Habsucht, als er, ein unbe-
güterter Mann, aus Gewissenhaftigkeit gegen den Staat
eine schwere ihm dargebotene Last Goldes belächelte und
mit geziemenden Worten die belächelte verachtete und
zurückwies? Sein Angedenken schärfte unser Dichter im
sechsten Buche durch die Worte:

Fabricius, mächtig im Kleinen —

War nicht Camillus ein unvergeßliches Vorbild, daß
man die Gesetze dem eigenen Vortheil vorziehen müsse,
der, dem Livius zufolge, in das Elend verwiesen, nachdem
er die belagerte Vaterstadt befreite, auch die römische
Beute an Rom zurückerstattete und trotz dem Widerstreben
des Volkes die heilige Stadt verließ und nicht eher heim-
kehrte, als bis ihm die Erlaubniß dazu von Senatswegen
überbracht wurde? Und auch diesen hochherzigen Mann
preist der Dichter im sechsten Buch mit den Worten:

Den Bringer verlorner Fahnen Camillus.

Lehrte nicht jener ältere Brutus, daß Söhne und
alle Andern der Freiheit des Vaterlandes nachzustellen

sind, von dem Livius sagt, daß er als Consul die eigenen mit den Feinden verschworenen Söhne dem Tode
überlieferte? Auch dessen Ruhm erneuert das sechste
Buch unsers Dichters durch die Verse:

Und es wird die Krieg erneuernden Söhne der Vater
Selber zur Straf herrufen, die heilige Freiheit beschützend.

Was für das Vaterland gewagt werden müsse, davon
überzeugt uns Mucius, als er den unvorsichtigen Porsenna
anfiel und sodann die Hand, welche geirrt hatte, mit
demselben Blick, womit er die Marter eines Feindes betrachten würde, im Feuer verkohlen sah, was ebenfalls
Livius mit Bewunderung bezeugt. Dazu kamen die
hochheiligen Decier, die für das Wohl des Vaterlandes
ihre Seelen zum Opfer brachten, wie Livius nicht zwar
nach Würden, doch aber nach Vermögen verherrlichend
preist. Dazu kommt auch jenes unaussprechliche Opfer
der beiden strengsten Beschützer der Freiheit, Marcus
Cato, von denen der eine zum Heil des Vaterlandes
vor den Schatten des Todes nicht erbebte, der andere,
um die Welt zur Freiheitsliebe zu entflammen, den hohen
Werth der Freiheit darstellte, indem er das Leben lieber
mit Freiheit verlassen, als ohne Freiheit in ihm länger
bleiben wollte. Aller Dieser herrlicher Name flammet
neu auf in Tullius' Ruf; denn in seiner Schrift über
das höchste Gut sagt er von den Deciern: Publius Decius,
der erste Consul seines Geschlechtes, stürzte, als er sich
aufopferte, mit verhängtem Zügel mitten in die Schlacht=
reihe der Latiner: dachte er etwa an sein Vergnügen,
wo er sie angriffe und wann? da er wußte, daß er
augenblicklich sterben müsse, und als er diesen Tod mit
brennenderem Eifer suchte, als Epikur dem Vergnügen
nachtrachten zu müssen glaubte. Wenn diese That nun
nicht mit Recht gepriesen wäre, würde sie der Sohn
nicht in seinem vierten Consulat nachgeahmt haben, und
nicht fernerhin dessen Sprößling, als Consul gegen den

Pyrrhus Krieg führend, im Treffen gefallen sein und sich, und zwar in ununterbrochener Reihe seines Geschlechtes, dem Staate als drittes Opfer dargebracht haben. — In seiner Schrift über die Pflichten sagt er aber von Cato: Nicht anders war die Sache des M. Cato, anders die der Uebrigen, welche sich in Afrika dem Cäsar auslieferten; und an den Uebrigen würde man es vielleicht getadelt haben, wenn sie sich getödtet hätten, weil ihr Leben unbedeutender und ihre Sitten leichterer Art waren. Cato aber, dem die Natur einen ungewöhnlichen Ernst verliehen und ihn durch eine ununterbrochene Beharrlichkeit gekräftigt hatte, und der einen einmal gefaßten Vorsatz und Entschluß niemals hatte fahren lassen, mußte lieber sterben, als das Antlitz eines Tyrannen schauen.

Zweierlei ist also aufzuhellen, einmal, daß, wer das Wohl des Staates beabsichtigt, den Zweck des Rechtes beabsichtigt, sodann, daß das römische Volk, als es sich den Erdkreis unterwarf, das öffentliche Wohl im Auge hatte. Schließen wir denn so: Wer den Zweck des Rechtes beabsichtigt, verfährt mit Recht: das römische Volk beabsichtigte den Zweck des Rechtes, als es sich den Erdkreis unterwarf, wie in diesem Kapitel zuvor deutlich gezeigt ist: Also unterwarf sich das römische Volk den Erdkreis mit Recht, und eignete sich folglich die Würde der Herrschaft mit Recht zu. Dieser Schluß ergibt sich aus lauter offenkundigen Sätzen. Einleuchtend ist erstlich, daß, wer den Zweck des Rechtes im Auge hat, mit Recht verfährt. Zum Erweis dieses Satzes ist zu merken, daß Alles seinen Zweck hat, sonst wäre es müßig; letzteres darf er nach Obigem nicht sein. Und wie Alles seinen besondern Zweck hat, so hat jeder Zweck seine besondere Sache, deren Zweck er ist. Daher ist es unmöglich, daß zwei Dinge, an sich genommen, sofern sie zwei sind, denselben Zweck beabsichtigen; denn es würde daraus eben die Ungereimtheit folgen, daß eins von beiden unnütz wäre. Wenn also das Recht einen Zweck hat, wie schon dargethan ist, so muß nach Voraussetzung jenes Zweckes das Recht auch angenommen werden, da er der besondere und an sich eine Wirkung des Rechtes ist. Und da es bei jeder Schlußfolge unmöglich ist, das Vorhergehende ohne das Nachfolgende anzunehmen, z. B. den Menschen ohne das Thier, wie aus dem Bauen und Einreißen hervorgeht: so ist es unmöglich, den Zweck des Rechtes zu suchen ohne das Recht, da jedes Ding sich zu seinem besondern Zwecke verhält wie das Nachfolgende zu dem Vorhergehenden. Denn es ist unmöglich, kräftige Glieder zu haben ohne Gesundheit. Deswegen ist klar und deutlich, daß, wer den Zweck des Rechtes beabsichtigt, ihn mit dem Rechte beabsichtigen muß; auch gilt nicht der Einwurf, der aus den Worten des Philosophen, welcher die Eubulie behandelt, entlockt zu werden pflegt; denn er sagt [1], aber auch dies mit einem falschen Schlusse: Das Erlangen, was es erlangen muß, muß es erlangen: wodurch aber, nicht: sondern daß der Mittelbegriff falsch sei. Denn wenn aus falschen Schlüssen etwas Wahres gefolgert wird, so geschieht dies zufällig, insofern dies als Wahres hereingebracht wird durch die Worte der Einführung; denn an sich folgt Wahres niemals aus Falschem, Zeichen des Wahren folgen aber allerdings aus Zeichen, welche Zeichen des Falschen sind. So auch bei Verrichtungen; denn wenn gleich ein Dieb mit dem diebisch Entwandten einen Armen unterstützte, so kann man dies doch nicht ein Almosen nennen, sondern es ist eine Handlung, die, wenn sie von eigenem Besitze geschähe, die Form des Almosens hätte. Auf ähnliche Weise ist es mit dem Zwecke des Rechtes, weil, wenn

---

[1] Arist. Eth. Nicom. 6, 9: Ἀλλ' ἔστι καὶ τοῦτον ψευδεῖ συλλογισμῷ τυχεῖν· καὶ ὃ μὲν δεῖ ποιῆσαι, τυχεῖν, δι' οὗ δὲ, οὔ· ἀλλὰ ψευδῆ τὸν μέσον ὅρον εἶναι· ὥστ' οὐδ' αὐτή πω εὐβουλία, καθ' ἣν, οὗ δεῖ μὲν τυγχάνει, οὐ μέντοι δι' οὗ ἔδει.

etwas Anderes, als ob es der Zweck des Rechtes wäre, ohne Recht erlangt würde, so wäre es auf diese Art der Zweck des Rechtes, das ist, das allgemeine Wohl; sowie die Spende von dem schlecht Erworbenen ein Almosen ist, und so ist es also kein Einwurf, wenn in dem Satze von dem vorhandenen, aber nicht erscheinenden Zwecke des Rechtes die Rede ist. Es ist also klar, was untersucht wurde.

Und Das, was die Natur anordnete, wird mit Recht bewahrt; denn die Natur läßt in ihrer Fürsorge nicht ab von der Fürsorge für den Menschen, weil, wenn sie abließe, die Ursache von der Wirkung an Güte übertroffen würde, was unmöglich ist. Aber wir sehen, daß in der Einrichtung von Amtsgenossenschaften nicht blos die Ordnung der Amtsgenossen unter einander von dem Gründer, sondern auch die Fähigkeit derselben für die Verwaltung der Geschäfte erwogen wird. Dies ist das Erwägen des Ziels des Rechtes in der Amtsgenossenschaft oder in der Ordnung; denn das Recht wird nicht über die Kraft ausgedehnt. Von dieser Fürsorge läßt also die Natur nicht ab in ihren Anordnungen. Daher ist klar, daß die Natur die Dinge mit Rücksicht auf ihre Fähigkeiten ordnet: diese Rücksicht ist die in den Dingen und in der Natur befindliche Grundlage des Rechtes. Hieraus folgt, daß die natürliche Ordnung in den Dingen ohne das Recht nicht erhalten werden kann, da die Grundlage des Rechts mit der Ordnung unzertrennlich verknüpft ist. Es ist also nothwendig, daß Alles, was die Natur geordnet hat, durch das Recht bewahrt werden muß. Das römische Volk war von der Natur zum Herrscher angeordnet, was aus Folgendem erhellt. Wie der von der Vollkommenheit der Kunst abließe, der nur den Zweck der Form im Auge hätte, sich um die Mittel, durch welche sie zur Form gelangte, nicht bekümmerte: so die Natur, wenn sie blos die allgemeine Form der göttlichen Aehnlichkeit im Weltall beabsichtigte, die Mittel aber vernachlässigte.

Aber die Natur läßt in keiner Sache von der Vollkommenheit ab, da sie ein Werk des göttlichen Verstandes ist: also hat sie alle Mittel im Auge, wodurch sie bis an das Ende ihrer Absicht gelangt. Wenn also der Zweck des menschlichen Geschlechtes ein nothwendiges Mittel ist zu dem allgemeinen Zwecke der Natur, so muß die Natur diesen selbst beabsichtigen. Deswegen behauptet der Philosoph in dem zweiten Buch über den natürlichen Vortrag richtig, daß die Natur immer des Zweckes wegen handle. Und weil die Natur diesen Zweck nicht durch Einen Menschen erreichen kann, da es vieler Verrichtungen dafür bedarf, welche eine Menge von verrichtenden Personen erfordern, so muß die Natur eine Menge von Menschen hervorbringen für die Verrichtung der Anordnungen, wozu außer dem höheren Einflusse die Kräfte und Eigenschaften der unteren Orte viel beitragen. Daher sehen wir, daß nicht blos einzelne Menschen, sondern auch Völker mit der Fähigkeit des Regirens, andere mit der der Unterwürfigkeit und des Dienens geboren sind, wie der Philosoph in seinen Werken über die Staatskunst äußert; und dergleichen Völkern ist es, wie er selbst sagt, nicht blos paßlich, sondern es geschieht ihnen auch Recht, wenn sie regirt werden, auch wenn sie dazu gezwungen würden. Wenn sich dies so verhält, so läßt sich nicht zweifeln, daß die Natur einen Ort und ein Volk in der Welt zur allgemeinen Herrschaft bestimmt hat: sonst hätte sie es fehlen lassen, was unmöglich ist. Welcher Ort aber und welches Volk dies sei, erhellt aus dem Vorigen und aus dem Folgenden sattsam, nämlich Rom, und die Bürger Roms oder das Volk. Dies deutete auch unser Dichter sehr bestimmt an im sechsten Buche[1], wenn er dem Anchises folgende Mahnung an den Aeneas, den Vater der Römer, in den Mund legt:

---

[1] B. 846—852

Andere gießen vielleicht gerundeter athmende Erze,
Oder entzieh'n, ich glaub' es, beseeltere Bildung dem Marmor;
Besser kämpft vor dem Richter ihr Wort, und die Bahnen
des Himmels
Zeichnet genauer ihr Stab, und verkündiget Sternen den
Aufgang.
Du, o Römer, beherrsche des Erdreichs Völker mit Obmacht;
(Dies sei'n Künste für dich!) du gebeut Anordnung des Friedens;
Demuthsvoller geschont und Trotzige niedergekämpfet!

Die Angabe des Ortes findet sich aber eben so bestimmt im vierten Buche[1], wenn er den Jupiter zu dem
Merkur über den Aeneas sagen läßt:

Nicht ja verhieß uns jenen die schöne Gebärerin also,
Und entzog ihn daher zweimal den pelasgischen Waffen;
Nein, der Italia einst voll keimender Herrschaft und Kriegslust
Ordnete. —

Hieraus geht hinlänglich die Ueberzeugung hervor,
daß das römische Volk von der Natur zur Herrschaft
berufen war. Also gelangte das römische Volk durch
Unterwerfung des Erdkreises mit Recht zur Herrschaft.

Zur richtigen Auffindung der Wahrheit dieses Satzes
muß man auch wissen, daß das göttliche Urtheil darüber
den Menschen bisweilen bekannt, bisweilen verborgen ist.
Offenbar kann es auf doppelte Art sein, nämlich durch
Vernunft und durch Glauben. Denn es gibt einige Urtheile Gottes, zu welchen die menschliche Vernunft aus
eigener Kraft gelangen kann; ein solches ist z. B., daß
der Mensch zum Wohl des Vaterlandes sich selbst preis-
gebe oder aufopfere. Denn wenn der Theil sich zum
Wohl des Ganzen opfern muß, so muß der Mensch als
Theil des Staates, wie der Philosoph in seiner Staatskunst sagt, sich als das Mindergute für das Bessere,

---

[1] B. 226—230.

für das Vaterland aufopfern. Daher spricht der Philosoph zum Nikomachus: daß dies zwar lieblich und auch
für den Einzelnen das Beſſere, für Volk und Staat
aber etwas Göttliches sei. Und dies Urtheil Gottes iſt
erkennbar: auf andere Weiſe würde die menschliche Vernunft auf ihrem geraden Wege die Abſicht der Natur
nicht erreichen, was unmöglich iſt. Es gibt aber auch
Rathſchlüſſe Gottes, zu welchen ſich die menschliche Ver=
nunft, ob ſie gleich aus eigener Kraft nicht dahin gelangen
kann, doch durch Hülfe des Glaubens an Das erhebt,
was uns in der heiligen Schrift geſagt iſt. Ein ſolcher
iſt, daß Niemand, obwol durch ſittliche und Verstandes-
vorzüge und nach Charakter und Werkthätigkeit vollkommen, ohne Glauben errettet werden kann, vorausgeſetzt,
daß er niemals von Chriſtus gehört hat; denn dies kann
die Vernunft an ſich nicht richtig einſehen, durch Hülfe
des Glaubens aber kann ſie es. Denn es ſteht geſchrieben im Briefe an die Hebräer [1]: „Ohne Glauben iſt
es unmöglich, Gott zu gefallen.“ Und im dritten Buch
Moſis [2]: „Welcher aus dem Hauſe Iſrael einen Ochſen,
oder Lamm, oder Ziege ſchlachtet in dem Lager oder
außen vor dem Lager, und nicht vor die Thür der Hütte
des Stifts bringt, daß es dem Herrn zum Opfer gebracht
werde vor der Wohnung des Herrn, der ſoll des Blutes
ſchuldig ſein.“ Die Thür der Stiftshütte iſt ein Sinnbild
Chriſti als Thür des ewigen Gemaches, wie aus dem
Evangelium erſehen werden kann; das geſchlachtete Vieh
ein Bild der menschlichen Werke. Verborgen aber iſt
das Urtheil Gottes der menschlichen Vernunft, ſofern ſie
es nicht durch ein Geſetz der Natur oder ein geſchriebenes
Geſetz erfährt, wohl aber geſchieht dies bisweilen durch
beſondere Gnade, und zwar auf mehrfache Weiſe, bisweilen durch einfache Offenbarung, bisweilen durch eine

---

[1] 11, 6.  [2] 17, 3 u. 4.

vermöge einer Erörterung vermittelte Offenbarung; durch einfache Offenbarung doppelt, entweder aus eigenem Willen Gottes oder auf Gebet; aus eigenem Willen abermals doppelt, entweder ausdrücklich oder durch Zeichen; ausdrücklich z. B. ward das Urtheil dem Samuel gegen Saul geoffenbart, durch Zeichen dem Pharao die Befreiung der Kinder Israels; durch Gebet erhielten Diejenigen Offenbarung, welche sagten: Wenn wir nicht wissen, was wir thun sollen, bleibt uns Das allein übrig, daß wir auf dich die Augen richten. Vermittelst einer Erörterung aber doppelt, entweder durch das Loos, oder durch Kampfbewährung; denn bewähren heißt so viel wie wahr machen. Durch das Loos wird das Urtheil Gottes bisweilen den Menschen eröffnet, wie es klar ist aus der Wahl des Matthias in der Apostelgeschichte. Durch Kampfbewährung aber doppelt, theils durch Zusammenstoß der Kräfte, z. B. im Zweikampf der Klopffechter, die auch Zweikämpfer genannt werden, oder durch ein Gefecht von Mehreren, die auf ein Zeichen sich den Rang abzugewinnen suchen, z. B. bei dem Kampf der Wettkämpfer, die nach einem Ziele laufen. Die erste von diesen beiden Weisen stellt sich bei den Heiden dar in jenem Kampfe des Herkules und Antäus, dessen Lukan erwähnt im vierten Buch der Pharsalia und Ovid im neunten der Verwandlungen. Die zweite stellt sich bei denselben dar an der Atalanta und dem Hippomenes im zehnten des letztgenannten Dichters. Desgleichen ist es nicht zu verkennen, wie bei diesen beiden Arten des Kampfes die Sache sich so verhält, daß bei dem einen die Streitenden, nämlich die Zweikämpfer, sich rechtmäßig einander verhindern dürfen, bei dem andern nicht; denn die Wettkämpfer dürfen sich keines Hindernisses gegen einander bedienen, obgleich unser Dichter eine andere Meinung zu haben scheint im fünften Buch, wenn er den Euryalus belohnen läßt. Richtiger hat deswegen Tullius dies im dritten Buche der Pflichten verboten,

indem er dem Ausspruch des Chrysippus folgt und sich
so ausdrückt: „Weislich, wie in vielen Dingen, sagt
Chrysippus: Wer in die Wette läuft, muß sich bestreben
und aus allen Kräften bemühen zu siegen; ein Bein
stellen darf er aber seinem Mitwettläufer auf keine Weise."
Nachdem dies nun in diesem Kapitel unterschieden ist.
können wir zwei für unser Vorhaben wichtige Sätze
daraus hernehmen, den einen aus dem Kampfe der Wettkämpfer, den andern aus dem der Klopffechter, welche
ich in den nächstfolgenden Abschnitten benutzen werde.

Jenes Volk also, welches bei dem Wettkampf aller
Völker um die Herrschaft der Welt die Oberhand behielt,
behielt sie nach göttlichem Urtheil. Denn da die Auf-
hebung der allgemeinen Entzweiung Gott mehr am Herzen
liegen muß als die der besondern, und in einigen besonderen Entzweiungen ein göttliches Urtheil durch Wettkämpfer gefordert wird, nach dem allbekannten Sprichwort: Wem Gott etwas gewährt, den segnet auch
Petrus: so ist kein Zweifel, daß bei den um die Herrschaft der Welt Wettkämpfenden die Oberhand nach dem
Urtheile Gottes erfolgte. Das römische Volk behielt in
dem Wettkampf Aller um die Herrschaft der Welt die
Oberhand. Dies wird erhellen aus der Betrachtung der
Wettkämpfer. Wenn nach dem Preis oder Ziel gefragt
wird, so war dies, allen Menschen voransein: denn das
nennen wir Oberherrschaft. Aber dies widerfuhr keinem
Volke als dem römischen. Dieses war nicht nur das
erste, sondern auch das einzige, welches das Kampfziel
erreichte, wie sogleich erhellen wird. Denn der Erste unter
den Sterblichen, welcher diesem Preis entgegenleuchte,
war Ninus, der König von Assyrien, der zwar mit seiner
Lagergenossin Semiramis neunzig Jahre, und länger (wie
Orosius angibt) das Weltreich mit seinen Waffen in
Angriff nahm und ganz Asien bezwang: die südlichen
Theile der Erde aber unterwarfen sich ihnen niemals.
Beide erwähnt Ovid im vierten Buche der Verwand-

lungen, wo er in der Erzählung vom Pyramus sagt von der Stadt [1]:

Welche Semiramis einst mit thönernen Mauern befestigt,

und weiterhin [2]:

Wählen sie Ninus' Grab zur Vereinigung, wo sie im Schatten —

Der Zweite, welcher diesen Preis anstrebte, war Vesoges, König von Aegypten, und wiewol er den Süden und Norden in Asien in Bewegung setzte, wie Orosius erwähnt, so erlangte er doch nie die Hälfte des Erdkreises, ja von den Scythen wurde er von seinem verwegenen Vorhaben zurückgebracht. Nachher versuchte es der Perserkönig Cyrus, der nach Zerstörung Babylons und Uebertragung der babylonischen Herrschaft auf die Perser, noch ehe er die Abendländer angegriffen hatte, gegen die scythische Königin Tomyris das Leben zugleich mit seinem Vorhaben aufgab. Nach diesem aber überschwemmte Xerxes, der Sohn des Darius und König der Perser, die Welt mit einer solchen Menge von Völkern und mit einer solchen Macht, daß er das Meer, welches Asien von Europa zwischen Sestos und Abydos trennt, mit einer Brücke bedeckte. Dieses bewundernswerthen Werkes gedenkt Lukan im zweiten Buch der Pharsalia:

Pfade von der Art schuf ob den Wogen, verkündet das Schicksal Xerxes der stolze.

Endlich, von seinem Vorhaben elendiglich zurückgetrieben, konnte er den Preis nicht erringen. Außer ihnen und späterhin kam der macedonische König Alexander b.r Palme am nächsten, indem er die Römer durch Gesandte anfforderte, sich zu ergeben, starb aber bei Aegypten vor dem Zusammentreffen mit dem Römern, wie Livius erzählt, mitten auf seiner Laufbahn. Von dessen dort befindlicher

---

[1] S. 58.  [2] S. 88.

Grabesstätte gibt Lukan im achten Buche, indem er den König von Aegypten, Ptolemäus, schilt, in folgenden Worten Zeugniß:

Letzter entarteter Sprößling des lagischen Stammes, geweihet
Bist du dem Tod, dir raubt die verbrechrische Schwester den
Scepter,
Wann in geheiligter Gruft macedonischen Staub du geborgen.

O Tiefe und Weisheit der Erkenntniß Gottes, wer könnte hier anders als dich anstaunen? Denn Alexandern, der den wettkämpfenden Römer im Laufe aufzuhalten Willens war, entrissest du, damit seine Verwegenheit nicht weiter fortschreite, von dem Kampfplatz. Aber daß Rom die Palme so großen Siegespreises errungen habe, wird durch viele Zeugnisse bewährt; wie denn unser Dichter im ersten Buche[1] sagt:

Dorther würden Römer bereinst mit den rollenden Jahren,
Dorther Führer entstehn, aus erneuetem Blute des Teukrus,
Welche mit Allgewalt das Meer und die Lande beherrschten.

Und Lukan im ersten Buche:

Theilung empfähet das Reich mit dem Schwert, und des mächtigen Volkes,
Welches das Meer und die Land' einnimmt und den sämmtlichen Erdkreis,
Schicksal duldet nicht zween —

und Boëthius sagt im zweiten Buch, wo er von dem römischen Herrscher spricht:

Mit dem Scepter lenkt er jedoch die Völker,
Welche Phöbus, bergend im Meer die Stralen,
Wenn von Ostlands Grenz' er daherkommt, schauet,
Welche drückt das Siebengestirn, das kalte,
Die der Südwind stürmend mit trockner Hitze
Dörret, neu aufwühlend die Glut des Sandes.

---

[1] B. 234—236.

Dante, Prosaische Schriften. II.     3

Ein solches Zeugniß ertheilt auch der Schreiber Christi, Lukas, der lauter Wahrheit sagt auch in jenem Theile seiner Schrift. Es ging aber ein Gebot vom Kaiser Augustus aus, daß alle Welt geschätzt würde. Aus welchen Worten klärlich hervorgeht, daß die gesammte Gerichtsbarkeit der Welt damals in den Händen der Römer gewesen sei. Aus diesem Allem ist offenbar, daß das römische Volk über alle Wettkämpfer um das Reich der Welt den Sieg davontrug. Also geschah dies nach göttlichem Urtheil, und folglich nahm es dasselbe nach göttlichem Urtheil, das heißt, mit Recht in Besitz.

Auch was durch einen Zweikampf erworben wird, wird mit Recht erworben. Denn wo immer es am menschlichen Urtheil mangelt, entweder weil es in Finsterniß der Unwissenheit gehüllt ist, oder weil der Vorsitz des Richters fehlt, sodaß die Gerechtigkeit verlassen ist und ihres Bleibens nicht hat, so muß man bei Dem Zuflucht suchen, der sie so liebte, daß er ihre Forderung aus eigenem Blute durch den Tod ergänzte. Daher der Psalm: Der gerechte Gott liebt die Gerechtigkeit. Dies geschieht aber, wenn von der freien Beistimmung der Parteien, nicht aus Haß, sondern aus Liebe der Gerechtigkeit, das göttliche Urtheil durch einen gegenseitigen Zusammenstoß der geistigen und körperlichen Kräfte gefordert wird. Diesen Zusammenstoß, als ursprünglich Eines gegen Einen, nennen wir Zweikampf. Aber immer muß man Sorge tragen, daß gleichwie im Kriege die Entscheidung zuerst auf alle Weise durch Erörterung und nur in der äußersten Noth durch die Waffen gesucht werde: wie Tullius und Vegetius einmüthig vorschreiben, dieser in seinem Buch über die Kriegskunst, jener in dem über die Pflichten. Und gleichwie in der Heilkunst Alles versucht wird, ehe man zum Schneiden und Brennen schreitet, und man hiezu nur im äußersten Falle seine Zuflucht nimmt, so untersuchen wir erst alle Wege, um den Streit durch Urtheil zu entscheiden, und nehmen zu

diesem letzten Mittel erst durch eine gewisse Nothwendigkeit der Gerechtigkeit gezwungen unsere Zuflucht. Es
zeigt sich daher etwas Doppeltes hinsichtlich der Form des
Zweikampfes, erstens das eben Gesagte, zweitens das oben
Erwähnte, daß die beiden Klopffechter oder Zweikämpfer
mit beiderseitiger Gutheißung weder aus Haß, noch aus
Liebe, sondern allein aus Eifer der Gerechtigkeit, den
Kampfplatz beschreiten. Und daher sagt Tullius, als er
auf diesen Gegenstand kommt, sehr richtig: „Aber die
Kriege, deren Preis die Herrschaft ist, müssen weniger
bitter geführt werden." Wenn diese Bedingungen des
Zweikampfes beachtet sind (denn sonst wäre es kein Zweikampf), treten dann Diejenigen, welche aus Nothwendigkeit der Gerechtigkeit unter gemeinschaftlicher Uebereinkunft
wegen Eifers für die Gerechtigkeit gegen einander auf-
treten, nicht im Namen Gottes in die Schranken? Und
ist in diesem Falle Gott nicht mitten unter ihnen, da er
selbst uns dies im Evangelium verspricht? Und wenn
Gott zugegen ist, ist es nicht Frevel zu glauben, daß
die Gerechtigkeit unterliegen könne, die er selbst in dem
so hohen oben angezeigten Grade liebt? Und wenn die
Gerechtigkeit im Kriege nicht unterliegen kann, wird nicht
das durch den Zweikampf Erworbene mit Recht erworben?
Diese Wahrheit erkannten auch die Heiden, noch ehe die
Trommete des Evangeliums erscholl, insofern sie die Entscheidung in dem Ausfalle des Zweikampfes suchten.
Daher antwortete Pyrrhus nicht übel, er, den sowol die
Gesinnung der Aeaciden als die Abstammung adelte, als
die römischen Gesandten wegen Austausch der Gefangenen
zu ihm kamen:

Gold für mich nicht fordr' ich, und ihr auch würdet's nicht
geben,
Denn Kriegführende seid und nicht Kriegfeilschende seid ihr.
Gold nicht, sondern das Schwert bringt uns Entscheidung des
Lebens,
Ob euch Hera, ob mich zum Herrn macht. Probe der Kriegsmuth,

3*

Was uns die Zukunft bringt, und zugleich hört, wie ich es
meine:
Wenn die Fortuna des Kriegs Jemandes Tapferkeit schonte,
Wohl, deß Freiheit, glaubet es, werd' ich wahrlich verschonen.
Gab' und Geschenk ist's dann, und der Wille der mächtigen
Götter.

So Pyrrhus. Unter Hera verstand er die Fortuna,
wir wollen mit Rücksicht auf unsere Sache besser und
richtiger die göttliche Vorsehung an ihre Stelle setzen.
Daher mögen sich die Faustkämpfer in Acht nehmen, den
Kampf selbst zum Preis zu machen, weil es dann kein
Zweikampf, sondern eine Marktbühne des Bluts und der
Gerechtigkeit genannt werden müßte: auch dürfte man
dann nicht glauben, daß Gott gegenwärtig sei, sondern
jener alte Feind, der der Verführer zum Zank gewesen
war. Mögen sie immer, wenn sie Zweikämpfer und
nicht Krämer des Bluts und der Gerechtigkeit sein wollen,
an dem Eingang zur Kampfbahn den Pyrrhus vor Augen haben, der bei dem Kampfe um die Herrschaft das
Gold so verachtete, wie gesagt ist. Wenn aber gegen
die aufgezeigte Wahrheit von der Ungleichheit der Kräfte
ein Einwand hergenommen wird, wie es der Fall zu
sein pflegt, so möge dieser durch den Sieg des David
über den Goliath zurückgewiesen werden. Und wenn die
Heiden dabei etwas Anderes bezweckten, so mögen sie
ihn selbst durch den Sieg des Herkules über den Antäus
zurückweisen. Denn es ist sehr thöricht, Kräfte, welche
Gott stärkt, bei einem Faustkämpfer als gering anzu-
schlagen. Hinlänglich deutlich ist es nun, daß das durch
den Zweikampf Erworbene mit Recht erworben ist. Aber
das römische Volk erwarb die Herrschaft durch den Zweikampf, was durch glaubwürdige Zeugnisse dargethan wird,
durch deren Aufzeigung nicht blos dies augenfällig sein
wird, sondern auch, daß Alles, was von den Uranfängen
des römischen Reiches dem Rechtsausspruch unterlag,
durch den Zweikampf entschieden wurde. Denn von dem

erſten an, der ſich um den Siß des Vaters Aeneas als erſten Vaters dieſes Volkes drehte, in welchem Turnus, der König der Nutuler, der Gegner war, und wobei die beiderſeitige Einwilligung ſtattfand, bis zu dem leßten wegen der Unterſuchung des göttlichen Wohlgefallens, ſtritten ſie allein unter ſich, wie in den leßten Büchern der Aeneis gekündet wird. Bei dieſem Kampfe war die Langmuth des Siegers Aeneas ſo groß, daß, wenn nicht der Gürtel, welchen Turnus dem von ihm getödteten Pallas abgezogen hatte, ins Auge gefallen wäre, der Sieger dem Beſiegten zugleich Leben und Frieden geſchenkt hätte, wie die leßten Verſe unſers Dichters bezeugen. Und da beide Völker aus derſelben trojaniſchen Wurzel hervorgeſproßt waren, nämlich das römiſche und alba= niſche, und ſie über das Zeichen des Adlers, über die trojaniſchen Hausgötter und die Herrſcherwürde lange mit einander gerungen, wurde endlich nach gemeinſchaftlicher Einwilligung der Parteien zur Entſcheidung der Forderung die Sache von den drei Brüdern, den Horatiern, und eben ſo viel Brüdern, den Kuriatiern, im Angeſicht der von beiden Seiten zuſchauenden Könige und Völker mit den Waffen abgemacht, wobei, nachdem die drei Kuriatier und zwei von den Römern gefallen waren, die Sieges= palme den Römern unter dem Könige Hoſtilius zuerkannt wurde. Dies verfaßte Livius im erſten Theile ſeines Werkes fleißig, und Oroſius ſtimmt ihm bei. Daß nach= her mit den Nachbaren nach allem Kriegsrechte, mit den Sabinern, mit den Samnitern, wenn gleich Viele daran Theil nahmen, doch in der Form eines Zweikampfes über die Oberherrſchaft geſtritten wurde, erzählt Livius, in welcher Kampfweiſe gegen die Sabiner die Fortuna (ſo zu ſagen) ihr Vorhaben beinahe gereute. Hierauf bezieht ſich Lukan im zweiten Buche beiſpielsweiſe:

Oder ſo viel das kolliniſche Thor aufnahm der Geſchlagnen,
Als beinahe der Welt Hauptſtadt und die irdiſche Herr=
ſchaft

Wechſelte wendend den Siß, und der Samnier über den
Engpaß
Samniums weit ausdehnte den Tod und die Wunden der Römer.

Nachdem aber die Händel der Italer beſeitigt waren
und mit den Griechen und mit den Pönern noch nicht
nach göttlichem Urtheil gekämpft war und jene nicht
minder als dieſe die Herrſchaft in Anſpruch nahmen,
indem Fabricius für die Römer, Pyrrhus für die Griechen um den Ruhm der Herrſchaft mit zahlreichen Krie-
gesſchaaren kämpften, ſiegte Rom; als aber Scipio für
Rom, Hannibal für die Afrikaner in der Weiſe eines
Zweikampfes Krieg führten, unterlagen die Afrikaner den
Italern: ſowie Livius und alle Verfaſſer der römiſchen
Geſchichte ausdrücklich bezeugen. Wer iſt nun noch ſo
ſtumpfen Geiſtes, daß er nicht ſähe, daß das glorreiche
Volk nach dem Rechte des Zweikampfes die Krone des
ganzen Erdkreiſes gewonnen habe? Mit Wahrheit konnte
der Römer ſagen, was der Apoſtel an den Timotheus
ſchreibt: „Hinfort iſt mir beigelegt die Krone der Gerech=
tigkeit“ — beigelegt nämlich nach der ewigen Vorſehung
Gottes. Mögen nun die vermeſſenen Rechtslehrer bemerken, wie tief ſie unterhalb jener Worte der Vernunft
ſtehen, von welcher der menſchliche Geiſt dieſe Urgründe
erforſcht, und mögen ſie ſchweigen und ſich begnügen,
nach dem Sinn des Geſeßes Spruch und Urtheil abzu-
geben. Und ſo iſt es denn offenbar, daß durch Zweikampf das römiſche Volk das Reich erlangte, und folglich dem Recht nach erlangte, denn dies iſt der Haupt-
punkt in dem gegenwärtigen Buche. Bis hieher iſt der
Saß klar durch Vernunftgründe, welche ſich hauptſächlich
auf Urgründe der Vernunft ſtüßen. Aber demnächſt iſt
er auch zweitens aus den Grundſäßen des chriſtlichen
Glaubens deutlich zu machen. Denn am meiſten murrten
und erſannen Eitles gegen die römiſche Oberherrſchaft
Diejenigen, welche ſich Eiferer für den chriſtlichen Glauben
nennen: und ſie fühlten nicht Mitleid mit den armen

Chriſten, denen man nicht nur die Einnahmen der Kirchen vorenthält, ſondern ſogar ihr väterlich Erbe raubt;
und es verarmt die Kirche, indem ſie Gerechtigkeit
zu üben vorgeben, aber keinen Verwalter des Rechtes
zulaſſen. Und nicht mehr geſchieht dieſe Verarmung
ohne das Urtheil Gottes, da man weder den Armen,
deren Erbgut das Vermögen der Kirche iſt, damit zu
Hülfe kommt, noch wird dies von der weltlichen Macht
Dargebotene mit Dankbarkeit in Beſitz behalten. Es
kehrt zurück, von wannen es kam: auf gute Art kam es,
auf ſchlechte Art kehrt es zurück, weil es auf gute Art
gegeben, auf ſchlechte Art beſeſſen iſt. Wie ſteht es mit
ſolchen Hirten? Wie, wenn das Kirchengut zerrinnt,
während das Eigenthum ihrer Verwandten ſich mehrt?
Aber es mag wohl beſſer ſein, die Unterſuchung fortzu-
ſetzen und ſtillſchweigend die Hülfe unſers Heilandes zu
erwarten. Ich ſage alſo, daß, wenn die römiſche Oberherrſchaft nicht rechtmäßig war, ſo beging Chriſtus durch
ſeine Geburt eine Ungerechtigkeit. Aber die Folgerung
iſt falſch, und daher iſt das Gegentheil des Vorderſatzes
wahr. Denn Widerſprüche geben die entgegengeſetzte
Wahrheit. Die Falſchheit der Folgerung braucht man
den Gläubigen nicht aufzuzeigen. Denn jeder Gläubige
gibt die Falſchheit zu, und thut er es nicht, ſo iſt er
kein Gläubiger. Aber in dieſem Fall iſt ihm die Beweisführung gleichgültig. Ich folgere nun ſo. Wer
einem Befehl aus Ueberlegung nachkommt, der gibt durch
ſeine Handlung zu erkennen, daß der Befehl gerecht ſei;
und da Handlungen überzeugender ſind als Reden (wie
des Philoſophen Meinung iſt in den letzten Büchern an
den Nikomachus), ſo überzeugt er dadurch mehr, als wenn
er durch Rede ſeinen Beifall gäbe. Aber Chriſtus (wie
ſein Geſchichtſchreiber Lukas bezeugt) wollte unter dem
Befehl des römiſchen Anſehens von einer jungfräulichen
Mutter geboren werden, damit in dieſer einzig merkwür-
digen Aufzeichnung der Welt der Sohn Gottes als ein

Mensch aufgezeichnet würde, und eben dies war eine Be=
stätigung jenes Befehls. Und vielleicht ist es eine noch
heiligere Meinung anzunehmen, daß dieser Befehl von
dem Kaiser durch göttliche Veranstaltung ausgegangen
sei, damit Der, welcher so lange Zeiten in der Genossen=
schaft der Menschen erwartet worden war, sich selbst gleich
den übrigen Menschen einschreiben lasse. So bewies
Christus durch die That, daß der Befehl des Augustus,
der damals das römische Reich verwaltete, gerecht sein
müsse. Und da auf ein gerechtes Befehlen die Gerichts=
verwaltung folgt, so bestätigte Der, welcher jenen Befehl
bestätigte, auch nothwendig die Gerichtsbarkeit. Wenn
diese nicht rechtmäßig war, so war sie ungerecht. Auch
ist zu merken, daß ein Beweisgrund, der benutzt wird,
um eine Folgerung aufzuheben, wenn gleich dieser seiner
Form nach einigermaßen an seiner Stelle ist, dennoch
seine Stärke durch eine zweite Stellung zeigt, wenn man
rückwärts schließt, zum Beispiel mit dem Beweisgrund,
der den Vordersatz in der ersten Stellung ausmachte,
kann man rückwärts schließend so verfahren: Alles Un=
gerechte wird ungerecht bestätigt; Christus bestätigte es
nicht ungerecht, also bestätigte er nicht etwas Ungerechtes.
Umgestellt würde aber der Schluß heißen: Alles Unge=
rechte wird ungerechterweise bestätigt: Christus bestätigte
etwas Ungerechtes: also bestätigte er es ungerechterweise.

Und wenn die römische Herrschaft nicht eine recht=
mäßige war, so ist die Sünde Adam's in Christus nicht
bestraft worden. Das wäre aber falsch: also ist der
Gegensatz Dessen, woraus es folgt, wahr. Daß die
Folgerung falsch sei, erhellet auf diese Art. Denn da
wir durch Adam's Sünde allesammt Sünder waren, wie
der Apostel sagt: Sowie durch Einen Menschen die
Sünde in die Welt kam, und durch die Sünde der Tod:
so ist der Tod über Alle gekommen, weil Alle gesündigt
haben: so wären wir, wenn für jene Sünde durch Christus
nicht gutgethan wäre, noch fortwährend Söhne des Zorns

der Natur, insofern die Natur verderbt ist. Aber dies ist nicht der Fall, da der Apostel an die Epheser schreibt, indem er von Gott dem Vater sagt, „daß er uns verordnet habe zur Kindschaft gegen ihn selbst durch Jesum Christum nach dem Wohlgefallen seines Willens, zum Lobe seiner herrlichen Gnade, durch welche er uns hat angenehm gemacht in seinem geliebten Sohn, an welchem wir haben die Erlösung durch sein Blut, nämlich die Vergebung der Sünden nach dem Reichthum seiner Gnade, welche uns reichlich widerfahren ist." Sofern auch Christus die Strafe auf sich nimmt, kann er beim Johannes sagen: Es ist vollbracht. Denn wenn etwas vollbracht ist, bleibt nichts mehr zu thun übrig. Zur Verständigung muß man wissen, daß die Strafe nicht einfach die Strafe Dessen ist, der das Unrecht begeht, sondern die, welche dem Unrecht Begehenden von Dem aufgelegt ist, der das Recht hat zu bestrafen; wenn sie daher nicht von einem ordentlichen Richter aufgelegt ist, so ist sie nicht eine Bestrafung, sondern vielmehr ein Unrecht zu nennen. Daher sagte jener zum Moses: Wer hat dich zum Richter über uns gesetzt? — Wenn Christus also nicht unter einem ordentlichen Richter gelitten hätte, so wäre jene Strafe nicht eine Bestrafung gewesen; und ein ordentlicher Richter konnte es nicht sein, wenn er nicht über das ganze menschliche Geschlecht das Richteramt hatte, da das ganze menschliche Geschlecht in dem fleischgewordenen, unsere Schmerzen (wie der Prophet sagt) tragenden oder duldenden Christus bestraft wurde. Und über das ganze menschliche Geschlecht hätte der Kaiser Tiberius, dessen Stellvertreter Pilatus war, das Richteramt nicht gehabt, wenn er nicht von Rechtswegen römischer Kaiser gewesen wäre. Daher schickte Herodes, obgleich ohne zu wissen, was er that, sowie auch Kaiphas, da er die Wahrheit sagte, nach himmlischem Beschlusse Christum dem Pilatus zur Beurtheilung zu, wie Lukas in seinem Evangelium sagt. Denn Herodes war nicht Stellvertreter

3 **

des Tiberius unter dem Zeichen des Adlers oder unter dem Zeichem des Senats, sondern König und von ihm über ein besonderes Königreich eingesetzt, und unter dem Zeichen des ihm übertragenen Reiches regierend. Mögen sie denn ablassen, das römische Kaiserthum zu schmähen, sie, welche sich Söhne der Kirche dünken, wenn sie sehen, daß der Bräutigam der Kirche, Christus, dies an den beiden Grenzpunkten seiner Laufbahn als Streiter auf diese Art bestätigt hat. Und nun meine ich es hinlänglich deutlich gemacht zu haben, daß das römische Volk sich mit Recht die Oberherrschaft der Welt angeeignet hat. O beglücktes Volk, o glorreiches Ausonien, wenn entweder niemals jener Schwächer deiner Herrschaft geboren wäre, oder seine fromme Absicht ihn nie getäuscht hätte!

# Drittes Buch.

## Auf welche Weise das Amt eines Alleinherrschers oder Kaisers von Gott unmittelbar abhängt.

Verschlossen hat er die Mäuler der Löwen, und sie haben mir nicht geschadet, weil vor ihm Gerechtigkeit an mir erfunden ist. Im Anfange dieses Werkes sind drei Fragen, soweit der Stoff es erlaubte, zu beantworten aufgestellt. Von den beiden ersten ist nun in den vorigen Büchern, wie ich glaube, hinlänglich die Rede gewesen. Es bleibt jetzt die dritte zu betrachten übrig. Wenn ich mich hierüber der Wahrheit gemäß auslasse, fürchte ich, weil dies, ohne Einige schamroth zu machen, nicht geschehen kann, mir einigen Unwillen zuzuziehen. Aber weil von ihrem unwandelbaren Thron herab die Wahrheit in mich bringt, Salomo auch, in den Wald der Sprüchwörter hineinschreitend, uns belehrt, daß man in Zukunft der Wahrheit sich zu befleißigen und dem Zwang seinen Abscheu zu bezeugen habe, und der Philosoph als Lehrmeister der Sitten das Seinige der Wahrheit aufzuopfern räth im Vertrauen auf die vorangeschickten Worte Daniel's [1],

---

[1] 6, 22.

66

in welchen die göttliche Macht als ein Schild für die
Vertheidiger der Wahrheit gepriesen wird, laut der Mah-
nung des Paulus, den Krebs des Glaubens anziehend,
in der Glut jener Kohle, welche einer der Seraphim
von dem himmlischen Altar nahm und die Lippen des
Jesajas berührte, will ich in die gegenwärtige Kampfbahn
hineinschreiten, und im Arme Dessen, der uns aus der
Gewalt der Finsterniß mit seinem Blut befreite, will ich
den Frevler und Lügner im Angesichte der Welt aus den
Schranken hinaustreiben. Was habe ich zu fürchten?
Spricht doch der mit dem Vater und Sohn gleich ewige
Geist durch den Mund David's: In ewigem Andenken
wird der Gerechte sein, und Verleumdung wird er nicht
fürchten. — Die gegenwärtige Frage nun, welche zu
beantworten sein wird, bewegt sich zwischen zwei großen
Lichtern, nämlich dem römischen Papste und dem römischen Kaiser; und es fragt sich, ob das Ansehen des
römischen Alleinherrschers, der ein rechtmäßiger Monarch
der Welt ist, laut der Beweise im zweiten Buche, unmittelbar von Gott abhange, oder von irgend einem
Stellvertreter Gottes oder Diener, worunter ich den Nachfolger Petri verstehe, der in Wahrheit der Schlüsselträger
des Reiches der Himmel ist.

Zur Untersuchung der gegenwärtigen Aufgabe bedarf
es nun, wie es auch bei den früheren der Fall war, eines
Urgrundes, um kraft dessen die Säße zur Eröffnung der
Wahrheit zu bilden. Denn ohne einen solchen Urgrund
festzustellen, was nüßt es da nach der Wahrheit zu forschen, da er allein die Wurzel der vermittelnden Beweis-
säße ist? So werde denn diese unumstößliche Wahrheit
vorausgeschickt, daß gegen Das, was der Absicht der
Natur widerstreitet, Gott Widerwillen hat. Denn wenn
dies nicht wahr wäre, wäre das Gegentheil nicht falsch,
nämlich, daß Gott nicht Widerwillen habe gegen Das,
was der Absicht der Natur widerstreitet. Und wenn
dies nicht falsch ist, so ist es auch Das nicht, was daraus

folgt. Denn es ist unmöglich, daß in nothwendigen Folgerungen eine Folgerung falsch ist, wenn der Vordersatz nicht falsch ist. Aber aus dem nicht Widerwillen haben folgt eins von beiden nothwendig, entweder zu wollen oder nicht zu wollen, sowie aus dem nicht hassen nothwendig folgt entweder zu lieben oder nicht zu lieben, denn nicht lieben und hassen ist keineswegs gleich; und so ist auch das nicht Wollen und das Widerwillen haben nicht gleich, wie einleuchtet. Wenn dies nicht falsch ist, wird auch das Folgende nicht falsch sein: Gott will, was er nicht will, ein Satz, über dessen Unrichtigkeit nichts geht. Die Wahrheit desselben beweise ich aber so: es ist offenbar, daß Gott den Zweck der Natur will, sonst würde er den Himmel zwecklos bewegen, was sich nicht annehmen läßt: wenn Gott das Hinderniß des Zweckes wollte, so wollte er auch den Zweck des Hindernisses, sonst würde er zwecklos wollen. Und da der Zweck des Hindernisses das Nichtsein der verhinderten Sache ist, so würde folgen, daß Gott das Nichtsein des Zweckes der Natur wolle, er, von dem gesagt wird, daß er das Sein dieses Zweckes wolle. Denn wenn Gott das Hinderniß des Zweckes nicht wollte, so folgte, sofern er es nicht wollte, aus dem Nichtwollen, daß er sich nicht um das Hinderniß kümmere, möchte es sein oder nicht sein; aber wer sich nicht um das Hinderniß kümmert, der kümmert sich auch nicht um die Sache, welche verhindert werden kann, und hat folglich keine Willensneigung dafür, und wofür Jemand keine Willensneigung hat, das will er auch nicht. Wenn demnach der Zweck der Natur verhindert werden kann, was doch geschehen kann, so folgt nothwendig, daß Gott den Zweck der Natur nicht will; und so folgt auch das Frühere, nämlich daß Gott will, was er nicht will. Der Urgrund oder erste Satz ist also gewiß und wahr, aus dessen Gegensatz so Ungereimtes folgt.

Gleich beim Eingang muß man hinsichtlich dieser

Frage bemerken, daß die Wahrheit der ersten Frage weit
mehr ins Licht gesetzt werden mußte, um die Unwissenheit
als um den Zwiespalt wegzuräumen. Aber bei der zweiten Untersuchung kam es darauf an, wie und auf welche
Weise sie sich zur Unwissenheit und zum Zwiespalt ver-
halte. Denn über Vieles, was wir nicht wissen, streiten
wir nicht. Die Meßkunde zum Beispiel kennt die Qua-
dratur des Kreises nicht, streitet jedoch nicht darüber.
Auch der Gottesgelehrte weiß die Zahl der Engel nicht,
ohne darüber zu streiten. Der Aegypter kennt das Bürgerthum der Scythen nicht, streitet aber auch darüber
nicht. Die Wahrheit dieser dritten Untersuchung hat aber
so viel Streit und Zwiespalt in sich, daß, wenn in andern Fällen die Unwissenheit die Ursache des Streites zu
sein pflegt, hier der Streit die Ursache der Unwissenheit
ist. Denn großen Männern, welche mit dem Blick der
Vernunft der Neigung voranfliegen, begegnet es oft, daß
sie übel gestimmt mit Hintansetzung des Lichtes der Vernunft in dieser Stimmung sich gleichsam blind hinreißen
lassen und ihre Blindheit hartnäckig leugnen. Daher
geschieht es oft, daß nicht blos die Falschheit die Oberhand gewinnt und Mehrere, ihre Grenzen verlassend,
fremde Lager durchschwärmen, ohne sich selbst zu verstehen und ohne verstanden zu werden. Und so reizen sie
Einige zum Zorn, Andere zum Aerger, Andere zum
Gelächter. Gegen die Wahrheit, welche gesucht wird,
stehen nun hauptsächlich drei Arten von Menschen auf.
Nämlich der allerhöchste Papst, unsers Herrn Jesu Christi
Stellvertreter und Petri Nachfolger, dem wir nicht so
viel wie Christo, sondern so viel wie Petro schuldig sind,
vielleicht aus Eifer für die Schlüssel, und mit ihm andere
Hirten der griechischen Christen, und Andere, welche
meines Bedünkens blos aus Eifer für die Mutter Kirche
dazu bewogen werden, widersprechen der Wahrheit, welche
ich darstellen werde, vielleicht aus Eifer (wie ich gesagt
habe), nicht aus Stolz. Einige Andere aber, deren

widersetzliche Begierde das Licht der Vernunft auslöschte, und welche sich, während sie den Teufel zum Vater haben, Söhne der Kirche nennen, erregen nicht allein bei dieser Untersuchung Zwiespalt, sondern aus Abscheu, wenn sie nur das hochheilige Kaiserreich aussprechen hören, leugnen sie die Grundbegriffe dieser sowie der vorigen Untersuchungen mit Unverschämtheit. Es gibt noch eine dritte Klasse von Menschen, welche den Namen Dekretalisten führen und der Theologie und Philosophie durchaus unkundig und unwissend, auf ihre Dekretalen (welche ich für wahrhaft verehrungswürdig halte) mit ganzer Macht gestützt, aus Hoffnung, glaube ich, auf deren Vorrang, das Kaiserthum verkleinern. Auch ist das nicht zu verwundern, da ich einen von ihnen schon habe sagen und keck behaupten hören, daß die Ueberlieferungen die Grundlage des Glaubens seien. Dies ist dann freilich ein Frevel. Mögen sie in der Meinung der Menschen Die heruntersetzen, welche vor der Ueberlieferung der Kirche an den kommenden oder gegenwärtigen oder schon gelitten habenden Sohn Gottes, Christus, glaubten und gläubig auf ihn hofften, und hoffend in Liebe entbrannten, und welche die Welt für seine in Liebe entbrennenden Miterben gewißlich hält. Und damit dergleichen Menschen von der gegenwärtigen Kampfbahn völlig ausgeschlossen werden, muß man bemerken, daß es eine Schrift gibt vor der Kirche, eine andere mit der Kirche, und eine andere nach der Kirche. Vor der Kirche nämlich gab es das alte und neue Testament, ein ewiges Gebot, wie der Prophet sagt: denn diese sind es, wovon die Kirche spricht, wenn sie zu dem Bräutigam sagt: Ziehe mich nach dir! Mit der Kirche zugleich aber sind entstanden jene verehrungswürdigen ersten Kirchenversammlungen, bei welchen Christus gegenwärtig war, wie Niemand zweifelt, da wir wissen, daß er kurz vor seiner Himmelfahrt zu seinen Schülern gesagt hat: „Siehe, ich bin bei euch alle Tage bis an der Welt Ende", wie

Matthäus [1] bezeugt. Es gibt auch Schriften der Gelehrten, des Augustinus und Anderer, deren Unterstützung durch den heiligen Geist nur Der bezweifelt, der die Früchte derselben entweder gar nicht gesehen, oder, wenn er sie sah, doch nicht geschmeckt hat. Nach der Gründung der Kirche aber gibt es Ueberlieferungen, welche man Dekretalen nennt, die, wenn gleich nach apostolischem Ausspruch hochzuachten, dennoch der ihnen zur Grundlage dienenden heiligen Schrift zweifelsohne nachzusetzen sind, da Christus selbst einmal die Priester wegen entgegengesetzten Verfahrens schalt. Denn als sie fragten: Warum übertreten deine Schüler die Satzung der Alten? (denn sie vernachläßigten die Handwaschung) antwortete ihnen Christus laut Matthäus [2]: „Warum übertretet denn ihr Gottes Gebot euerer Satzung wegen?" Hiemit deutet er hinreichend an, daß die Ueberlieferung nachzusetzen sei. Wenn nun die Ueberlieferungen der Kirche erst nach Gründung der Kirche entstanden sind, so empfangen die Ueberlieferungen nothwendigerweise Ansehen von der Kirche, und nicht umgekehrt. Daher sind Die, welche blos auf die Ueberlieferungen halten, von dem Kampfplatz, wie gesagt, auszuschließen. Denn Diejenigen, welche dieser Wahrheit nachtrachten, müssen die Quellen, aus welchen das Ansehen der Kirche fließt, bei der Untersuchung zum Grunde legen. Nachdem diese ausgeschlossen sind, müssen demnächst Die ausgeschlossen werden, welche, mit Rabenfedern bedeckt, als weiße Schafe in der Heerde Christi gelten wollen. Das sind die Kinder der Bosheit, die, um ihre Schandthat auszuüben, die Mutter preisgeben, die Brüder austreiben und endlich keinen Richter haben wollen. Denn warum sollte gegen sie die Vernunft aufgeboten werden, da sie, durch ihre Begierde zurückgehalten, die Beweisgründe nicht einsehen? Daher bleiben als Gegner Die allein übrig, welche von einem irgend wie

---

[1] 28, 20.  [2] 15, 1—3.

beschaffenen Eifer für die Kirche geleitet, die Wahrheit, welche in Frage steht, verkennen. Mit diesen beginne ich denn, gestützt auf jene Ehrerbietung, welche der fromme Sohn seiner Mutter, fromm gegen Christus, fromm gegen die Kirche, fromm gegen den Hirten, fromm gegen alle Bekenner der christlichen Religion, in diesem Buche den Kampf für das Heil der Wahrheit.

Diejenigen aber, an welche diese ganze Auseinandersetzung gerichtet ist, werden bei ihrer Behauptung, daß das Ansehen des Kaiserthums von dem Ansehen der Kirche abhänge, gleichwie der niedere Arbeiter von dem Baumeister, von verschiedenen Gründen geleitet, welche sie theils aus der heiligen Schrift, theils aus gewissen Handlungen sowol des Papstes als des Kaisers selbst entnehmen; sie bemühen sich aber auch um einen Ausspruch der Vernunft. Denn erstlich sagen sie zufolge des Buches von der Schöpfung, daß Gott zwei große Lichter machte, ein größeres, das dem Tag, und ein kleineres, das der Nacht vorgesetzt sei. Dies wollten sie nun gleichnißmäßig ausgelegt haben als zwei Herrschgewalten, die geistliche und die weltliche. Sodann, gleichwie der Mond, als das kleinere Licht, sein Licht nicht anders als durch die Sonne empfängt, so habe das weltliche Reich keine andere Gewalt, als soweit es diese mit dem geistlichen Reiche empfange. Um diesen und andere ihrer Gründe zu beseitigen, ist zuvor zu bemerken, daß, nach der Meinung des Philosophen über die spitzfindigen Beweisführungen, die Wegräumung des Beweisgrundes die Darlegung des Irrthums ist. Und weil der Irrthum im Stoff oder in der Form des Beweises sich finden kann, so findet auch ein zwiefaches Versehen statt, nämlich durch Annahme von etwas Falschem, oder durch Mangelhaftigkeit des Schlusses. Beides warf der Philosoph dem Parmenides und Melissus vor, nämlich, daß sie Falsches annähmen und nicht die Gesetze des Schlusses beobachteten. Falsches nehme ich hier im weiteren Sinne und verstehe

darunter auch das Unverneinbare, was in einem wahr=
scheinlichen Stoffe die Natur eines Vernunftschlusses an
sich hat. Wenn nun der Fehler in der Form liegt, so
ist der Schlußsatz von Dem, der ihn aufheben will, da=
durch zu vernichten, daß er zeigt, die schlußmäßige Form
sei nicht beobachtet. Liegt der Fehler im Stoffe, so be=
steht er darin, daß ohne Weiteres etwas Falsches ange=
nommen ist, oder daß es in Folge von etwas Anderem
falsch ist. Wenn, ohne Weiteres, oder einfach, so muß
es durch Vernichtung der Annahme, wenn in Folge,
durch Unterscheidung aufgehoben werden. Nachdem dies
eingesehen ist, muß man zu größerer Verdeutlichung dieser
und anderer weiterhin folgenden Lösungen darauf achten,
daß es hinsichtlich des mystischen oder verborgenen Ver=
ständnisses einen doppelten Irrthum gibt, indem man
ihn entweder sucht, wo er nicht ist, oder ihn anders auf=
faßt, als er aufgefaßt werden muß. Hinsichtlich des
ersten sagt Augustin im Gottesstaat: Freilich nicht Alles,
was erzählt wird, ist für bedeutend zu halten; aber wegen
der Dinge, die etwas bedeuten, werden auch die, welche
nichts bedeuten, hinzugefügt. Die Pflugschaar allein ist
es, welche das Erdreich zerschneidet, aber damit dies ge=
schehen könne, sind auch die übrigen Theile des Pfluges
nöthig. Hinsichtlich des zweiten sagt Derselbe in dem
Buch über die christliche Lehre, daß Derjenige, welcher
die heiligen Schriften anders verstehen will als Diejenigen,
welche sie schrieben, sich eben so täuscht wie Derjenige,
welcher den rechten Weg verläßt und im Kreis umher=
irrend dennoch endlich dahin gelangt, wohin jener Weg
führt, und fügt hinzu: Damit wollte ich anzeigen, daß
die Gewohnheit, den rechten Weg zu verlassen, den Wan=
derer zwingt, kreuz und quer umherzuirren. Nachher
deutet er auch die Ursache an, warum man sich vor sol=
chem Verfahren mit der heiligen Schrift hüten müsse,
indem er sagt: der Glaube wird schwankend und wankend,
wenn das Ansehen der heiligen Schrift auf unsichern

Füßen steht. — Ich aber sage, wenn hiebei Unwissenheit zum Grunde liegt, so muß man nicht ablassen zu schelten und dann Nachsicht haben, sowie man mit Dem Nachsicht haben würde, der vor einem Löwen in den Wolken Angst hätte. Wenn dagegen Absicht zum Grunde liegt, so soll man mit Irrenden dieser Art es nicht anders machen als mit Wütherichen, die das öffentliche Recht nicht zum gemeinschaftlichen Nutzen verwalten, sondern es aus Eigennutz verdrehen. O Schandthat aller Schandthaten, selbst wenn es Jemandem im Traum widerführe, die Absicht des heiligen Geistes zu misbrauchen; denn nicht wird damit gesündigt gegen Moses, gegen David, gegen Hiob, gegen Matthäus, noch gegen Paulus, sondern gegen den heiligen Geist, der aus ihnen redet. Denn wenn gleich der Schreiber des göttlichen Wortes viele sind, so gibt es doch nur Einen, der es ihnen in die Feder sagt, und das ist Gott, der uns werth gehalten hat, uns seinen Willen durch die Kiele vieler Schreiber zu enthüllen. Nach diesen Vorbemerkungen hinsichtlich des oben Ausgesprochenen komme ich auf die Wegräumung jener obigen Behauptung, daß die beiden Lichter bildlich die beiden Herrschgewalten bedeuten; denn in diesem Ausspruche besteht der Nerv des Beweises. Daß aber diese Auslegung nicht zu gestatten ist, läßt sich auf doppelte Weise darthun. Denn erstlich da dergleichen Herrschgewalten eine Zuthat bei dem Menschen sind, so schiene Gott die Sache auf den Kopf gestellt zu haben und die Zuthat eher geschaffen zu haben als den Gegenstand selbst; und das hieße Gott eine Ungereimtheit zutrauen. Denn jene beiden Lichter sind am vierten Schöpfungstage hervorgebracht, der Mensch aber am sechsten, wie die Schrift lehrt; ferner, da diese Herrschgewalten von der Art sind, daß sie dem Menschen gewisse Schranken anweisen sollen, wie sich unten zeigen wird, so hätte ja der Mensch im Stande der Unschuld, dem ihm von Gott ursprünglich verliehenen, dergleichen Zurechtweisungen nicht bedurft.

Es sind dergleichen Herrschgewalten folglich Mittel gegen die menschliche schwächliche Hinneigung zur Sünde. Da also der Mensch am vierten Tage noch nicht sündhaft, sondern überhaupt noch gar nicht vorhanden war, so wäre es zweifelsohne unnütz gewesen, Mittel hervorzubringen; dies ist gegen die Güte Gottes. Denn das wäre ein thörichter Arzt, der vor der Geburt eines Menschen ihm für ein künftiges Geschwür ein Pflaster bereiten wollte. Es läßt sich also nicht behaupten, daß Gott am vierten Tage diese beiden Regierungsarten machte, und folglich konnte die Absicht des Moses nicht die sein, welche jene Menschen ihm unterschieben. Es kann dieses falsche Vorgeben auch auf eine duldsame Weise durch Unterscheidung weggeräumt werden. Denn dieses Verfahren der Unterscheidung ist glimpflicher gegen den Gegner, denn er erscheint dann nicht als vorsätzlicher Lügner, in welchem Lichte ihn das vernichtende Verfahren erscheinen läßt. Ich sage demnach, daß, wenn gleich der Mond nicht hinlänglich Licht hat, sofern er es nicht von der Sonne empfängt, daraus doch nicht folgt, daß der Mond von der Sonne entsprungen sei. Daher muß man wissen, daß das Wesen des Mondes und seine Kraft und seine Wirkung verschiedene Dinge sind. Was das Wesen anbetrifft, so hängt der Mond keineswegs von der Sonne ab, auch hinsichtlich der Kraft und der Wirkung an sich nicht, weil seine Bewegung von einem eigenen Beweger und sein Einfluß von seinen eigenen Stralen ausgeht. Denn er hat einiges Licht von sich selbst, wie dieses bei seiner Verdunkelung zu sehen ist; aber zur bessern und kräftigeren Wirkung empfängt er einiges Licht von der Sonne, nämlich ein reichliches, durch dessen Hinzutritt er dann kräftiger wirkt. So sage ich also, daß das weltliche Reich sein Wesen nicht von dem geistlichen erhält, noch auch seine Kraft, das heißt, sein Ansehen, noch seine Wirkung an sich, sondern ersteres empfängt freilich von letzterem etwas, um kräftiger zu wirken durch

das Licht der Gnade, das der Segen des Papstes ihm
im Himmel und auf Erden zukommen läßt. Und deshalb
irrte der Beweis in der Form, weil die Aussage des
Schlußsatzes nicht der zweite Begriff im Obersatze ist,
wie erhellt. Nämlich so: Der Mond empfängt Licht
von der Sonne, als der geistigen Herrschaft: die weltliche Herrschaft ist der Mond: also empfängt die weltliche
Herrschaft Ansehen von der geistlichen. Denn der zweite
Begriff im Obersatz ist das Licht, die Aussage des Schlußsatzes aber das Ansehen: diese beiden sind aber verschieden
nach Gegenstand und Weise, wie oben gezeigt wurde.
Sie nehmen auch einen Beweis her aus Mosis
Schriften, indem sie sagen, daß aus den Lenden Jakob's
das Gleichniß dieser beiden Obrigkeiten gekommen sei in
der Person des Levi und Juda, von denen der Eine der
Vater des Priesterthums, der Andere der der weltlichen
Herrschaft war; und folgern dann so: Gleichwie sich
Levi zu Juda verhielt, so die Kirche zum Kaiserthum.
Levi ging Juda voran in der Geburt laut der Schrift,
folglich hat die Kirche den Vorrang vor dem Kaiserthum
an Ansehen. Das läßt sich nun leicht widerlegen; denn
wenn sie sagen, daß Levi und Juda, die Söhne Jakob's,
diese beiden Obrigkeiten vorbilden, so kann ich dies auf
ähnliche Weise durch Wegräumung widerlegen; aber es
mag einmal zugegeben werden. Sie schließen so: Sowie
Levi in der Geburt vorangeht, so die Kirche im Ansehen.
Ich sage auf ähnliche Weise, weil Aussage des Schlußsatzes und zweiter Begriff des Obersatzes verschieden sind.
Denn Ansehen und Geburt sind verschieden im Gegenstand und in der Weise: es ist also in der Form ein
Versehen. Das wäre etwa wie folgt: a geht b voran
in c und d; e verhält sich wie a und b; also geht d
dem e voran in f; f und d sind aber verschieden. Und
wenn sie den Einwurf machten, daß f dem c folgt, das
heißt, das Ansehen der Geburt; und daß man für das
Vorhergehende das Nachfolgende setzen kann, z. B. Thier

für Mensch, so erkläre ich dies für falsch. Denn es gibt viele ältere Personen, die an Ansehen nicht nur nicht den Jüngern vorangehen, sondern umgekehrt, wie sich ergibt, wenn Bischöfe den Jahren nach jünger sind als die unter ihnen stehenden Archipresbyters. Und so scheint der Einwurf darin zu irren, daß sie Etwas als Ursache annehmen, was es nicht ist.

Auch nach dem Buchstaben des ersten Buches der Könige führen sie die Wahl und Absetzung Saul's an, und sagen, daß Saul auf den Thron gesetzt und des Throns entsetzt wurde von Samuel, der statt Gott dies Amt verwaltete laut der Schrift. Und daraus folgern sie, daß, wie jener Stellvertreter Gottes das Recht hatte, die weltliche Herrschaft zu geben und zu nehmen, und auf einen Andern zu übertragen, so auch jetzt der Stellvertreter Gottes, der als allgemeiner Vorsteher der Kirche das Recht hat, den Stab der weltlichen Herrschaft zu geben, zu nehmen und auch zu übertragen. Hieraus würde ohne Zweifel folgen, daß das Ansehen des Kaiserthums abhängig wäre, wie sie sagen. Hierauf dient zur Antwort, um die Behauptung hinwegzuräumen, daß Samuel der Statthalter Gottes gewesen sei, daß er dies nicht als Statthalter, sondern als besonderer Gesandter für diesen Zweck, oder als ein Bote in besonderem Auftrage des Herrn that. Dies leuchtet ein, weil er nichts weiter als Gottes Befehl ausrichtete und überbrachte. Daher ist zu bedenken, daß zwischen einem Statthalter und einem Boten oder Diener ein Unterschied ist, sowie ein Lehrer und ein Ausleger auch nicht verwechselt werden müssen; denn ein Statthalter oder Stellvertreter ist Der, dem die Gerichtsbarkeit, sei es eine gesetzmäßige oder eine willkürliche, übertragen ist, und deswegen kann er innerhalb der Grenzen dieser gesetzmäßigen oder willkürlichen Gerichtsbarkeit etwas vornehmen, wovon der Herr durchaus nichts weiß. Der Bote kann das aber nicht, sofern er Bote ist; sondern gleichwie der Hammer blos vermöge

der Kraft des Schmids wirkt, so kann auch der Bote
blos nach dem Gutünken Dessen handeln, der ihn schickt.
Es folgt also nicht, daß, wenn Gott dies durch den
Samuel als Boten that, daß der Statthalter Gottes dies
auf gleiche Weise könne. Denn Vieles hat Gott durch
Engel gethan, thut es und wird es thun, was der
Statthalter Christi und Nachfolger Petri nicht thun
könnte. Daher ist der Beweis dieser Menschen vom
Ganzen auf den Theil so zu stellen: der Mensch kann
hören und sehen, also kann das Auge hören und sehen.
Das geht nun nicht. Aber es würde auf widerlegende
Weise so gehen: der Mensch kann nicht fliegen, folglich
können die Arme des Menschen nicht fliegen. Und gleich=
falls so: Gott kann durch seinen Boten nicht bewirken,
daß Geborenes nicht geboren ist, nach Agathon's Mei=
nung; folglich kann es auch der Statthalter nicht.

Sie führen auch nach dem Buchstaben des Matthäus
das Geschenk der Magier an, und sagen, er habe zugleich
Weihrauch und Gold empfangen, um damit anzuzeigen,
daß er Herr und Verweser der geistlichen und weltlichen
Angelegenheiten sei. Daher meinen sie, daß der Statt=
halter Christi Herr und Verweser derselben Dinge sei
und folglich Gewalt über beiderlei habe. Hierauf ant=
wortend lasse ich den Buchstaben des Matthäus und den
Sinn desselben gelten; aber Das, was sie daraus her=
leiten, hat einen Fehler im Begriffe. Denn sie schließen
so: Gott ist Herr der geistlichen und weltlichen Dinge:
der Papst ist Statthalter Christi: folglich ist er Herr
der geistlichen und weltlichen Dinge; denn beide Vorder=
sätze sind wahr, aber der Mittelbegriff ist nicht derselbe,
und das Ganze hat also vier Begriffe, was bei einem
Schlusse nicht angeht: was aus der Lehre vom Schlusse
einfach hervorgeht. Denn Gott im Obersatze und der
Statthalter Gottes im Untersatze sind etwas Verschiedenes.
Und wenn Jemand einwürfe, daß der Statthalter gleich
gelte, so wäre dieser Einwurf unstatthaft, denn kein

Statthalteramt, sei es göttlich oder menschlich, kann dem Ansehen des Herrn gleichgelten. Dies beweist Levi; denn wir wissen, daß der Nachfolger Petri dem göttlichen Ansehen nicht gleichgilt, wenigstens in der Wirksamkeit der Natur. Denn er könnte doch nicht machen, daß der Erdboden in die Höhe stiege oder das Feuer nach unten aufflamme vermöge des ihm anvertrauten Auftrages: auch könnte ihm nicht Alles von Gott übertragen werden, z. B. die Macht zu erschaffen und desgleichen zu taufen, wie überzeugend darzuthun ist, wenn gleich der Meister das Gegentheil im vierten Kapitel sagt. Wir wissen auch, daß der Stellvertreter eines Menschen diesem nicht gleichgilt, insofern er Stellvertreter ist, weil Niemand weggeben kann, was nicht sein ist. Das fürstliche An= sehen gehört dem Fürsten blos zum Gebrauch; denn kein Fürst kann sich selbst das Ansehen geben: annehmen kann er es aber und zurückgeben: aber einen Andern er= schaffen kann er nicht, weil die Schöpfung des Fürsten nicht vom Fürsten abhängt. Wenn dies so ist, so leuchtet ein, daß kein Fürst einen Stellvertreter an seine Stelle setzen kann, der ihm in Allem gleichgölte; weil der Ein= wurf kein Gewicht hat.

Desgleichen führen sie nach dem Buchstaben desselben Verfassers die Worte Christi zu Petrus an: „Und Alles, was du auf Erden gebunden hast, das wird auch im Himmel gebunden sein; und Alles, was du auf Erden gelöset hast, das wird auch im Himmel gelöst sein"; welche Worte auch an alle übrigen Apostel gerichtet sind. Desgleichen bringen sie die Worte des Matthäus und Johannes bei und schließen daraus, daß der Nachfolger Petri mit Bewilligung Gottes sowol binden wie lösen könne. Und daher meinen sie, daß er die Beschlüsse und Gesetze des Kaiserthums lösen und die Gesetze und Be= schlüsse für die weltliche Macht binden könne; woraus denn allerdings Das folgen würde, was sie behaupten. Hiebei ist nun zu unterscheiden und der Obersatz anzugreifen, deſſen ſie ſich bedienen. Denn ſie ſchließen ſo: Petrus konnte Alles löſen und binden: der Nachfolger Petri kann Alles, was Petrus konnte; alſo kann der Nachfolger Petri Alles löſen und binden; daher behaupten ſie, daß er das Anſehen und die Beſchlüſſe des Kaiſerthums löſen und binden könne. Den Unterſatz gebe ich zu: den Oberſatz aber nicht ohne Unterſcheidung. Und daher ſage ich, daß dieſer allgemeine Begriff Alles, das Sämmtliche, was er in ſich ſchließt, niemals die ihm zugetheilten Schranken verändert und überſchreitet. Denn wenn ich ſage: Alles Thier läuft, ſo ſchließt der Begriff Alles das Sämmtliche ein, was man unter Thiergeſchlecht zuſammenfaßt. Wenn ich aber ſage: Jeder Menſch oder Alles, was Menſch iſt, läuft, ſo bezieht ſich dies Alles nur auf den Begriff des Menſchen. Und wenn ich ſage: Jeder Grammatiker, oder Alles, was Grammatiker iſt, ſo wird der Begriff des Alles noch mehr beſchränkt. Daher muß man ſtets darauf merken, was der allgemeine Begriff in ſich ſchließt; daraus geht dann leicht hervor, wie weit ſich die Schranken erſtrecken, nämlich dnrch die Beſchaffenheit und den Umfang des Begriffes. Wenn nun der Begriff Alles, der in dem Satz: Alles, was du bindeſt, ſich findet, unbeſchränkt genommen würde, und es wahr wäre, was ſie ſagen, ſo würde der Papſt nicht blos das Genannte thun können, ſondern er könnte auch die Frau von dem Manne löſen, und ſie mit einem andern verbinden bei Lebzeiten des erſten, was doch gar nicht angeht. Er könnte mich auch löſen, wenn ich nicht bereute, was doch Gott ſelbſt nicht im Stande wäre. Da ſich dies ſo verhält, iſt es offenbar, daß der Begriff nicht allgemein, ſondern bezüglich zu faſſen iſt. Dieſe Beziehung iſt aber klar genug, wenn man betrachtet, was durch dieſen Begriff eingeräumt wird. Denn Chriſtus ſagt zu Petrus: Ich will dir die Schlüſſel des Himmelreiches geben, d. h. dich zum Pförtner des Himmels machen. Nachher fügt er hinzu: Und was immer, das

Dante, Proſaiſche Schriften. I.        4

heißt, Alles, was: das heißt, Alles, was dies Amt be=
trifft, wirst du lösen und binden können. Und so be=
schränkt sich der allgemeine Ausdruck des Was immer —
auf das Amt des himmlischen Schlüsselträgers. Und so
genommen ist der Satz wahr, unbeschränkt genommen
aber nicht, wie klar ist. Und deshalb sage ich, daß, ob=
gleich der Nachfolger Petri nach der Befugniß des ihm
anvertrauten Amtes lösen und binden kann, nicht jedoch
daraus folgt, daß er die Beschlüsse der Kaisergewalt,
oder die Gesetze, wie sie behaupten, lösen oder binden
kann, wenn nicht etwa weiter bewiesen würde, daß dies
zum Schlüsselamte gehöre, dessen Gegentheil späterhin
dargethan werden wird.

Sie greifen auch den Ausspruch des Lukas auf, näm=
lich wo Petrus zu Christus sagt: Siehe, hier sind zwei
Schwerter — und behaupten, daß unter den beiden
Schwertern die beiden genannten Herrschgewalten verstan=
den werden, und da Petrus sich des Ausdruckes hier
bediene, d. h. bei ihm, dem Petrus, so schließen sie
daraus, daß diese beiden Herrschgewalten dem Ausspruche
zufolge bei dem Nachfolger Petri sind. Hier läßt sich
nun der Sinn, den sie den Worten unterlegen, wegräu=
men. Denn ihre Behauptung, daß unter den beiden
Schwertern des Petrus die beiden Herrschgewalten zu
verstehen sind, ist geradehin zu verneinen: theils weil
jene Antwort der Absicht Christi nicht entsprochen haben
würde, theils weil Petrus nach seiner Weise plötzlich ant=
wortete und dabei nur an das nächste Vorliegende dachte.
Das Erstere, daß die Antwort der Absicht Christi nicht
entsprochen haben würde, geht aus der Betrachtung der
vorhergehenden Worte und der Ursache derselben hervor.
Man muß nämlich wissen, daß dies am Tage des Abend=
mahles vorfiel, was Lukas mit den Worten anzeigt: „Es
kam nun der Tag der süßen Brote, auf welchen man
mußte opfern das Osterlamm. Bei diesem Abendmahle
hatte Christus vorausgesagt sein nahes Leiden, wobei er

von seinen Schülern werde getrennt werden. Ferner muß man wissen, daß bei diesen Worten alle zwölf Jünger gegenwärtig waren; denn Lukas sagt gleich darauf: „Und da die Stunde kam, setzte er sich nieder, und die zwölf Apostel mit ihm." In dem weitern Gespräch heißt es dann: „So oft ich euch gesandt habe ohne Beutel, ohne Tasche und ohne Schuhe, habt ihr auch je Mangel gehabt?" Sie sprachen: „Nie keinen." Da sprach er zu ihnen: „Aber nun, wer einen Beutel hat, der nehme ihn, desselbigen gleichen auch die Tasche. Wer aber nicht hat, verkaufe sein Kleid und kaufe ein Schwert." Hieraus geht die Absicht Christi aufs deutlichste hervor; denn er sagte nicht: Kauft oder nehmt zwei Schwerter, oder gar zwölf, da er zu seinen zwölf Jüngern sprach: Wer nicht hat, kaufe, damit Jeder eins habe. Auch wollte er sie mit diesen Worten an die künftigen Drangsale und an die künftige ihnen zu Theil werdende Verachtung mahnen, als ob er sagte: So lange ich bei euch war, waret ihr sicher; nun aber werdet ihr vertrieben werden, sodaß ihr euch mit Dem versehen müßt, was ich euch bisher zu thun abgehalten habe, und zwar wegen der zukünftigen Noth. Wenn daher die Antwort Petri hierauf in jener Absicht gegeben wäre, so hätte sie der Absicht Christi wenigstens nicht entsprochen und nicht auf den ihm von Christus gemachten Vorwurf gepaßt; wie er ihn denn oft wegen ungeschickter Antworten schalt. Hier aber that er das nicht, sondern beruhigte ihn mit den Worten: „Es ist genug", als ob er sagen wollte: Zur Noth, meine ich, wenn nicht Jeder eins haben kann, so genügen zwei. — Und daß Petrus nach seiner Weise obenhin sprach, beweist seine rasche und nicht zuvor überlegte Rede, wozu ihn nicht blos sein lauterer Glaube antrieb, sondern auch meines Bedünkens seine natürliche Reinheit und Herzenseinfalt. Diese seine Vorschnelligkeit bezeugen alle Geschichtschreiber Christi. So sagt Matthäus, daß auf Christi Frage an die Jünger: Wer sagt ihr, daß ich sei?

4 *

Petrus vor den Andern geantwortet habe: Du bist Christus, der Sohn des lebendigen Gottes. Er schreibt ferner, daß, als Christus zu seinen Jüngern sagte, er müsse nach Jerusalem gehen und viel leiden, Petrus ihn vorschnell angefahren habe mit den Worten: Das sei ferne von dir, Herr, das wird dir nicht geschehen! worauf Christus sich tadelnd an ihn wandte und sagte: Gehe hinter mir, Satanas! — Desgleichen schreibt er, daß er auf dem Berge der Verklärung im Angesichte Christi, Mosis und Elias und der beiden Söhne des Zebedäus sagte: Hier ist gut sein; wenn du willst, so machen wir hier drei Hütten, dir eine, dem Moses eine und dem Elias eine. Desgleichen schreibt er, daß, als die Jünger bei der Nacht im Schiff waren, und Christus auf dem Wasser ging, Petrus zu ihm sagte: Herr, wenn du es bist, so befiehl mir, zu dir zu kommen auf dem Wasser. — Desgleichen, als Christus seinen Jüngern das Aergerniß vorhersagte, antwortete Petrus: Wenn gleich Alle sich an dir ärgerten, werde ich mich nie an dir ärgern. Und weiterhin: Wenn ich mit dir zugleich sterben soll, werde ich dich nicht verleugnen. — Und dies bezeugt auch Markus. Lukas aber schreibt, daß Petrus auch kurz vor den Worten wegen der Schwerter zu Christus gesagt habe: Herr, ich bin bereit, mit dir ins Gefängniß und in den Tod zu gehen. Johannes aber führt, als Christus dem Petrus die Füße waschen wollte, die Worte des Petrus an: Herr, du wäschest mir die Füße? Und weiterhin: Du wirst sie mir in Ewigkeit nicht waschen. Er sagt auch, daß Petrus sogar einen Knecht des Hohenpristers verwundet habe, was übrigens alle vier bezeugen. Johannes sagt auch, daß Petrus gleich in das Grabgewölbe hineingegangen sei, als er einen andern Jünger an der Thür stillstehen sah. Und ferner, daß, als Christus nach der Auferstehung sich am Ufer befand, und Petrus gehört hatte, es sei der Herr, sich gürtete (denn er war nackt) und ins Meer stieg. Und zuletzt, daß Petrus, als er den Johannes gesehen hatte, zu Jesus sagte: Was soll er thun? Es freut mich nämlich, dies von unserm Erzhirten zum Lobe seiner Reinheit zusammenzutragen, woraus deutlich hervorgeht, daß er mit seinen Worten von den beiden Schwertern in aller Einfachheit Christo antwortete. Will man jene Worte Christi uud Petri sinnbildlich nehmen, so sind sie doch nicht auf Das, was meine Gegner sagen, zu beziehen, sondern auf die Bedeutung jenes Schwertes, von welchem Matthäus schreibt: Glaubet nicht, daß ich in die Welt gekommen bin, den Frieden zu bringen: nicht bin ich gekommen, den Frieden zu bringen, sondern das Schwert. Denn ich bin gekommen, den Sohn vom Vater zu trennen u. s. w. Dies geschieht aber sowol mit dem Worte als mit der That. Deswegen sagt Lukas zum Theophilus: Was Jesus anfing zu thun und zu lehren. Ein solches Schwert befahl Christus zu kaufen, und daß dergleichen zwei da wären, antwortete Petrus. Denn zu Wort und That waren sie bereit, um damit nach Christi Worten zu thun, nach den Worten, daß er gekommen sei, um mit dem Schwert zu handeln, wie gesagt ist.

Einige sagen überdies, daß der Kaiser Konstantin nach seiner Reinigung vom Aussatze auf Fürbitte des damaligen Papstes Sylvester den Sitz des Reiches, nämlich Rom, der Kirche zum Geschenk machte, nebst vielen andern Würden des Kaiserthums. Hieraus beweisen sie, daß späterhin Niemand diese Würden empfangen konnte, ausgenommen von der Kirche als Eigenthümerin derselben. Und hieraus würde allerdings folgen, daß Ein Ansehen von dem andern abhänge, wie sie wollen. Nachdem wir nun die Beweisgründe gelöst und beseitigt haben, welche ihre Wurzeln in göttlichen Aussprüchen zu haben schienen, bleiben jetzt diejenigen zu beseitigen und zu widerlegen übrig, welche in den menschlichen Thaten und in der menschlichen Vernunft wurzeln. Hievon hat nun der erste, welcher vorangeschickt wird, folgende Schlußform:

Das, was der Kirche gehört, kann Niemand mit Recht erhalten, es sei denn von der Kirche, und dies wird eingeräumt. Die römische Herrschaft gehört der Kirche: also kann sie Niemand mit Recht besitzen, es sei denn durch die Kirche. Den Untersatz beweisen sie durch Das, was oben von dem Konstantin berührt ist. Diesen Untersatz streiche ich nun, und den Beweis nenne ich einen Nichtbeweis, weil Konstantin die kaiserliche Würde weder verschenken noch die Kirche sie annehmen durfte. Und wenn sie hartnäckig darauf bestehen, so erkläre ich mich folgendermaßen: Niemandem ist es erlaubt, vermöge eines ihm übergebenen Amtes Etwas zu thun, was gegen dieses Amt ist, weil sonst eines und dasselbe, sofern es dieses ist, sich selbst entgegen wäre, was unmöglich ist. Aber es ist gegen das dem Kaiser übertragene Amt, das Kaiserthum zu zerspalten, da es dessen Pflicht ist, das menschliche Geschlecht Einem Wollen und Einem Nichtwollen unterthan zu erhalten, wie im ersten Buche klärlich zu ersehen ist. Das Kaiserthum zu zerspalten ist also dem Kaiser nicht erlaubt. Wenn also durch Konstantin einige Würden, wie sie sagen, von dem Kaiserthum entfremdet und in die Gewalt der Kirche übergegangen wären, so wäre das unzertrennbare Gewand zerrissen, das Diejenigen nicht zu zerreißen wagten, welche den wahren Gott Christus mit der Lanze durchbohrten. Ueberdies sowie die Kirche ihren Grund hat, so auch das Kaiserthum den seinen; denn der Grund der Kirche ist Christus, daher der Apostel an die Corinther schreibt: Einen andern Grund kann Niemand legen als welcher gelegt ist, nämlich Christus Jesus. Er selbst ist der Fels, auf dem die Kirche gebaut ist. Der Grund des Kaiserthums aber ist das menschliche Recht. Und so sage ich, daß, wie es der Kirche nicht erlaubt ist, ihrem Grunde zuwiderzuhandeln, sondern sie immer auf ihn sich stützen muß, laut der Worte des Hohenliedes: Wer ist die, die heraufgehet aus der Wüste, von Süßigkeiten triefend, gelehnt auf ihren Freund? —

so auch dem Kaiserthum es nicht erlaubt ist, etwas gegen
das menschliche Recht zu thun; aber gegen das menschliche Recht wäre es, wenn das Kaiserthum sich selbst
zerstörte; also sich selbst zu zerstören ist dem Kaiserthum
nicht erlaubt. Wenn nun das Kaiserthum zerspalten
und es zerstören dasselbe ist, insofern das Kaiserthum in
der Einheit der allgemeinen Alleinherrschaft besteht, so
darf der Verweser des Ansehens des Reiches offenbar das
Kaiserthum nicht zerspalten. Daß aber das Kaiserthum
zu zerstören gegen das menschliche Recht sei, erhellt aus
Obigem. Ueberdies ist alle Gerichtsbarkeit früher als der
Richter. Denn der Richter wird zur Rechtspflege bestellt,
nicht aber umgekehrt. Aber dem Kaiserthum gehört die
Gerichtsbarkeit oder Rechtspflege, welche alle weltliche
Gerichtsbarkeit in sich schließt; also ist sie früher als ihr
Richter, der Kaiser, weil der Kaiser dazu bestellt ist, und
nicht umgekehrt. Hieraus erhellt, daß der Kaiser damit
keine Aenderung vornehmen kann, sofern er Kaiser ist,
da er von ihr seine Wesenheit empfängt. Ich meine
nämlich so: Entweder war er Kaiser, als er der Kirche
etwas verliehen haben soll, oder er war es nicht: im
letztern Falle ist es deutlich, daß er nichts vom Reiche
verleihen konnte. Wenn er es aber war, so durfte er es
als Kaiser auch nicht, da eine solche Verleihung eine
Verringerung der Gerichtsbarkeit war. Ferner, wenn
Ein Kaiser irgend einen Theil von der Gerichtsbarkeit
des Kaiserthums abreißen konnte, so konnte es auf dieselbe
Weise auch ein anderer Kaiser. Und da jede weltliche
Gerichtsbarkeit begrenzt ist, und alles Begrenzte aus be-
grenzten Abschnitten besteht, so würde folgen, daß die
erste Gerichtsbarkeit vernichtet werden könnte, was unver-
nünftig ist. Ueberdies da der Verleihende und der Em-
pfänger in dem Verhältnisse des Handelnden und des
Leidenden stehen, wie der Philosoph lehrt im vierten
Buch an den Nikomachus, so wird zu einer Verleihung
nicht blos die Neigung des Verleihers, sondern auch die des

Empfängers gefordert. Denn es scheint in dem Leidenden und Geneigten die Handlung der Handelnden zu sein; aber die Kirche war völlig abgeneigt, Zeitliches anzunehmen, vermöge des ausdrücklichen Verbotes, wie wir es im Matthäus haben: „Wollet nicht Gold besitzen, noch Silber, noch Geld in euerm Gürtel, noch eine Tasche unterwegs u. s. w." Und wenn sich gleich bei Lukas eine gewisse Beschränkung dieses Verbotes findet, so habe ich doch nicht finden können, daß nach jenem Verbote der Kirche eingeräumt sei, Gold und Silber zu besitzen. Wenn die Kirche daher die Gabe Konstantin's nicht in Empfang nehmen durfte, angenommen, daß ihm diese zu verleihen verstattet gewesen wäre: so war doch jene Handlung nicht möglich hinsichtlich der Neigung des Empfängers. So ist denn klar, daß weder die Kirche etwas als Besitz in Empfang nehmen, noch jener etwas durch Verleihung zum Eigenthum eines Andern machen konnte. Dennoch konnte der Kaiser zum Schirm der Kirche ein Erbgut und Anderes hingeben, doch so, daß das Recht des ersten Besitzers unangetastet blieb, dessen Einheit die Theilung nicht zuläßt. Und so konnte auch der Statthalter Christi es in Empfang nehmen, nicht als Besitzer, sondern als ein Vertheiler der Zinsen an die Kirche und an die armen Christen, wie wir denn wohl wissen, daß es die Apostel thaten.

Noch führen sie an, daß der Papst Hadrian Karl den Großen sich und der Kirche zu Frommen berief zur Zeit des Desiderius, des Königs der Longobarden, und daß Karl von ihm die Kaiserwürde empfing, ungeachtet Michael zu Konstantinopel Kaiser war. Sie sagen deswegen, daß alle nachherigen römischen Kaiser, sowie er selbst, von der Kirche berufen waren und von der Kirche berufen werden müssen. Daraus würde auch jene Abhängigkeit folgen, welche sie daraus ableiten wollen. Um dies zu widerlegen, sage ich, daß sie nichts sagen; denn angemaßtes Recht ist kein Recht. Denn in diesem Fall könnte man auch beweisen, daß das Ansehen der Kirche von dem Kaiser abhange, insofern Kaiser Otto den Papst Leo wiedereinsetzte und den Benedikt absetzte und in die Verbannung nach Sachsen schickte.

Vernunftgemäß aber schließen sie so. Sie nehmen zu dem Ende aus dem zehnten Buch der ersten Philosophie den Satz: Alles, was Einer Art ist, läßt sich auf Eins zurückführen, und dies ist das Maß aller der Dinge, welche zu dieser Art gehören. Nun sind alle Menschen von Einer Art: also lassen sie sich auf Eins zurückführen als das Maß aller Menschen. Und da der höchste Kirchenvorsteher und der Kaiser Menschen sind, so müssen alle Menschen, sofern der Schluß wahr ist, sich auf Einen Menschen zurückführen lassen. Und da der Papst nicht auf einen andern zurückzuführen ist, so bleibt nichts übrig, als daß der Kaiser sammt allen übrigen auf ihn zurückzuführen, und wie auf ein Maß und eine Regel zu beziehen ist. So folgt denn Das, was sie wollen. Zur Widerlegung sage ich nun, daß sie mit ihrer Behauptung: Alles, was Einer Art sei, müßte auf eins von dieser Art als das Maß derselben bezogen werden, Recht haben, sowie auch mit der zweiten, daß alle Menschen von Einer Art sind. Und Dem gemäß schließen sie richtig, daß alle Menschen auf Ein Maß innerhalb ihrer Art zurückzuführen sind. Aber wenn sie bei diesem Schluß den Papst und Kaiser einschieben, so täuschen sie sich in Hinsicht des Zufälligen oder der unwesentlichen Nebenbestimmung. Um sich hievon zu überzeugen, muß man bedenken, daß die Begriffe Mensch und Papst, und ebenso Mensch und Kaiser nicht gleich sind, und daß Mensch und Vater und Herr nicht verwechselt werden dürfen. Denn ein Mensch ist Das, was er ist, durch die wesentliche Form, wodurch er Art und Geschlecht gewinnt, und durch welches er unter die Bestimmung eines Wesens fällt. Ein Vater ist aber Das, was er ist, durch die zufällige Form, das

4**

heißt, die Beziehung, durch welche er eine gewiſſe Art und Geſchlecht gewinnt, und unter das Geſchlecht hinſichtlich auf Etwas, das heißt, der Beziehung, fällt. Sonſt würde alles auf die Bezeichnung des Weſens zurückgeführt werden, da keine zufällige Form durch ſich ſelbſt beſteht ohne die Unterlage einer beſtehenden Weſenheit: was falſch iſt. Wenn alſo Papſt und Kaiſer Das, was ſie ſind, durch gewiſſe Beziehungen ſind, nämlich des Pabſtthums und des Kaiſerthums, welche Beziehungen ſind, das eine auf den Begriff der Väterlichkeit, das andre auf den Begriff der Herrſchaft, ſo iſt deutlich, daß der Papſt und Kaiſer in dieſer Hinſicht unter den Begriff des Verhältniſſes fallen und folglich auf etwas in jener Gattung ſich Befindende bezogen werden müſſen. Ich meine alſo, verſchieden iſt das Maß, auf welches ſie als Menſchen von Dem, auf welches ſie als Pabſt und Kaiſer zu beziehen ſind, und zwar als Menſchen auf den beſten Menſchen, der das Maas aller übrigen und, ſo zu ſagen, das Gedankenbild iſt, und wer auch jener ſein möge, doch auf Einen in ſeiner Gattung Vorhandenen, wie aus den letzten Büchern an den Nikomachus zu erſehen iſt. Sofern ſie aber gewiſſe Bezüglichkeiten ſind, wie es klar iſt, ſo ſind dieſe entweder auf den Richter zurückzuführen, ſofern eins mit dem andern wechſelt, oder ſie haben vermöge der Beziehung als Artbegriffe Verwandtſchaft miteinander, oder ſie beziehen ſich auf etwas Drittes, worauf ſie zurückgeführt werden, wie auf die gemeinſchaftliche Einheit. Aber es läßt ſich nicht ſagen, daß es Wechſelbegriffe wären, denn dann ließe ſich das Eine von dem Andern ausſagen, was falſch iſt; denn der Kaiſer Decius iſt nicht Papſt und umgekehrt. Eben ſo wenig läßt ſich ſagen, daß ſie als Artbegriffe Verwandtſchaft hätten, da die Beſchaffenheit des Papſtes eine andre iſt, als die des Kaiſers, ſoweit dies ein Jeder iſt. Folglich werden ſie auf Etwas zurückgeführt, worin ſie ſich vereinigen. Nun muß man wiſſen, daß, ſowie

sich die Beziehung zur Beziehung, so das Bezügliche auf
das Bezügliche verhält. Wenn also das Papstthum und
Kaiserthum, da sie Beziehungen eines Oberbegriffs sind,
sich beziehen lassen hinsichtlich dessen, unter welchen sie
mit ihren Unterschieden gehören: so lassen sich Papst und
Kaiser als bezügliche Begriffe auf etwas Eines beziehen,
in welchem sich die Hinsicht, oder die Bedeutung des
Oberbegriffs ohne weitere Unterschiede findet. Und dies
wird entweder Gott selbst sein, in dem sich jede Rücksicht
sammt und sonders vereint, oder eine unter Gott stehende
Wesenheit, in welcher die Rücksicht auf den Oberbegriff
durch den Unterschied des Oberbegriffs von der einfachen
Rücksicht sich hinaberstreckend, zur Besonderheit wird.
Und so ist klar, daß Papst und Kaiser, als Menschen,
auf Einen Menschen zurückzubeziehen sind, als Papst
und Kaiser aber auf etwas Anderes, und zwar ohne
Zweifel auf die Vernunft.

Nach Beseitigung und Entfernung der Irrthümer,
auf welche sich vorzugsweise Diejenigen stützen, welche
meinen, daß das Ansehen der weltlichen römischen Herrschaft von dem römischen Oberhirten der Kirche abhänge,
wenden wir uns wieder an die Darstellung der Wahrheit
dieser dritten Untersuchung, welche von Anfang an als
Gegenstand aufgestellt wurde, welche Wahrheit sich hinlänglich zeigen wird, wenn ich nach festgestelltem Grund-
gedanken für die Untersuchung dargethan haben werde,
daß das obgenannte Ansehen unmittelbar von dem Gipfel
alles Seins abhänge, welcher Gott ist. Und dies wird
geschehen, entweder wenn das Ansehen der Kirche von
jenem geschieden wird, da über das andere kein Zwist
ist, oder wenn augenfällig bewiesen wird, daß es unmittelbar von Gott abhängt. Daß aber das Ansehen der
Kirche nicht der Grund des kaiserlichen Ansehens ist,
läßt sich so beweisen: Dasjenige, bei dessen Nichtvorhan-
densein oder Nichtwirksamsein ein Andres seine ganze
Kraft hat, ist nicht die Ursache jener Kraft: das Kaiser-

thum hatte aber während des Nichtvorhandenseins oder
Nichtwirksamseins der Kirche seine ganze Kraft: also ist
die Kirche nicht die Ursache der Kraft des Kaiserthums,
und folglich auch nicht des Ansehens desselben, weil Kraft
und Ansehen gleichbedeutend sind. Es sei die Kirche a,
das Kaiserthum b, das Ansehen oder die Kraft des Kaiserthums c. Wenn nun, ohne daß a da ist, c in b ist,
so kann a unmöglich die Ursache sein, daß c in b ist,
weil es unmöglich ist, daß die Wirkung der Ursache eines
Seins vorangehe. Ferner, wenn, ohne Wirkung des a,
c in b ist, so folgt nothwendig, daß a nicht die Ursache
Dessen sei, daß c in b ist, da es nothwendig ist, daß
zur Hervorbringung einer Wirkung die Ursache und zumal die, welche das Beabsichtigte bewirkt, zuvorwirke.
Der Obersatz dieses Beweises ist hinsichtlich seiner Begriffe erklärt. Den Untersatz bestätigt Christus und die
Kirche, Christus durch seine Geburt und seinen Tod, wie
oben gesagt ist; die Kirche, da Paulus in der Apostelgeschichte zu Festus sagt: „Ich stehe vor des Kaisers
Gericht, da soll ich mich lassen richten.‟ Auch der Engel des Herrn sagt bald darauf zu Paulus: „Fürchte
dich nicht, Paulus, du mußt vor den Kaiser gestellt werden.‟ Und weiterhin sagt wiederum Paulus zu den
Juden in Italien: „Da aber die Juden dawider redeten,
ward ich genöthigt, mich auf den Kaiser zu berufen,
nicht, als hätte ich mein Volk etwas zu verklagen, sondern um meine Seele vom Tode zu erretten.‟ Wenn
nun der Kaiser nicht schon damals das Recht gehabt
hätte, weltliche Händel zu richten, so hätte weder Christus uns davon überzeugt, noch der Engel jene Worte
gesprochen, noch Jener, welcher sagte: „Ich wünsche auf-
gelöst zu werden und bei Christus zu sein‟ — einen
ungeziemenden Richter angerufen. Wenn auch Konstantin das Recht und Ansehen nicht gehabt hätte,
Schirmvogt der Kirche zu sein, hätte er der Kirche Das,
was er ihr zutheilte, nicht mit Recht zutheilen können;

desgleichen hätte die Kirche sich jener Erweisung unrecht-
mäßigerweise bedient, da Gott will, daß erwiesene Geschenke unbefleckt seien, laut des Ausspruchs im dritten
Buche Mosis: „Jedes Opfer, das dem Herrn dargebracht wird, soll ohne Sauerteig sein." Wenngleich diese
Vorschrift an die Darbringer gerichtet zu sein scheint, so
ist sie es der Folge wegen nichtsdestoweniger an die Em-
pfänger. Denn es ist thöricht zu glauben, daß Gott die
Annahme billige, wenn er die Darbringung verbietet,
wie denn auch in demselben Buch den Leviten geboten
wird: „Beflecket eure Seelen nicht und rühret nichts
davon an, um euch nicht zu verunreinigen." Aber zu
sagen, daß die Kirche das ihr zugetheilte Erbgut misbrauche, ist sehr unpassend: Daher war Das falsch, woraus dies folgte.

Ferner, wenn die Kirche die Kraft hätte, den römischen Kaiser zu bevollmächtigen, so hätte sie diese entweder von Gott, oder von sich selbst, oder von irgend
einem Herrscher, oder von der allgemeinen Zustimmung
der Menschen, oder wenigstens von den vornehmsten derselben. Ein andrer Ausweg bleibt nicht übrig, auf welchem diese Kraft der Kirche zufließen sollte. Aber sie hat
sie von keinem der Angeführten: folglich hat sie die erwähnte Kraft nicht. Und daß dies so ist, erhellt aus
Folgendem. Denn wenn sie sie von Gott empfangen
hätte, so wäre dies geschehen entweder durch ein göttliches oder durch ein natürliches Recht. Was man von
der Natur empfängt, das verändert sich nicht. Aber es
ist nicht durch ein natürliches Gesetz geschehen; denn die
Natur legt ein Gesetz nicht anders auf, als durch die
Wirkungen, da Gott nicht unvermögend sein kann, wo
er ohne vermittelnde Kräfte etwas ins Dasein ruft. Da
nun die Kirche nicht eine Wirkung der Natur ist, sondern Gottes, welcher spricht: „Auf diesem Fels werde ich
meine Kirche erbauen" — und an einem andern Ort:
„Ich habe das Werk vollendet, das du mir gegeben hast,

damit ich es thue:" so ist offenbar, daß ihr die Natur
das Gesetz nicht gegeben hat. Aber auch nicht durch
göttliches Gesetz; denn alle göttlichen Gesetze sind enthalten im Schooße der beiden Bunde oder Testamente, in
welchem Schooße ich aber nicht finden kann, daß die
Sorge für das Zeitliche dem ersten oder letzten Priester-
thume anvertraut sei. Vielmehr finde ich, daß die ersten
Priester von der wetlichen Macht auf Befehl abgesetzt
sind, wie aus dem erhellt, was Gott zu Moses: und die
Priester der letzten Zeit aus Dem, was Christus zu den
Jüngern sagte. Nun ist es nicht möglich, daß ihnen
diese Sorge genommen sei, wenn das Ansehen der weltlichen Herrschaft ein Ausfluß des Priesterthums wäre,
da die Sorge der Obwaltung wenigstens in der Bevoll-
mächtigung läge, und sodann auch die fortwährende Si-
cherstellung, daß der Bevollmächtigte nicht von dem rechten Pfade abweiche. Daß sie diese Kraft nicht aber von
sich selbst erhalten hat, erhellt auf diese Weise: Man
kann nicht geben, was man nicht hat. Nun muß alles
Wirkende in seiner Wirksamkeit so Etwas sein, was das
Wirken beabsichtigt, wie dies die Schriften über das einfache Wesen auweisen. Aber es versteht sich, daß, wenn
die Kirche sich diese Kraft gab, sie dieselbe nicht eher
hatte, als bis sie sich dieselbe gab. Und so hätte sie sich
Etwas gegeben, was sie nicht hatte, was unmöglich ist.
Daß sie diese aber nicht von einem Herrscher empfing,
ist aus dem vorher Bewiesenen deutlich. Daß sie ihr
endlich nicht durch die Zusammenstimmung aller oder der
vornehmsten Menschen zu Theil wurde, bezweifelt wohl
Niemand, da nicht nur alle Asiaten und Afrikaner, sondern auch der größere Theil der Bewohner Europas dem
widerstrebt. Denn es ist widerlich, die sonnenklarsten
Dinge noch zu beweisen.

Desgleichen: Das, was gegen die Natur eines Dinges ist, gehört nicht zu der Zahl seiner Kräfte, da die
Kräfte eines jeden Dinges der Natur desselben zur Er-

reichung des Zweckes folgen. Aber die Kraft, die Herrschaft unsrer Sterblichkeit unter ihre Vollmacht zu nehmen, ist gegen die Natur der Kirche. Also gehört diese Kraft nicht zu der Zahl ihrer Kräfte. Um den Untersatz zu beweisen, muß man wissen, daß die Natur der Kirche ihre Form ist. Denn obgleich Natur auf Stoff und Form bezogen wird, so gebraucht man diesen Ausdruck doch gewöhnlich von der Form, wie bewiesen ist im zweiten Buch von der Natur. Die Form der Kirche aber ist nichts Anderes als das Leben Christi, das sich sowol in seinen Reden als in seinen Handlungen darstellt. Denn sein Leben war das Vorbild und Muster der streitenden Kirche, besonders der Hirten, und zumal des Oberhirten, dessen Pflicht es ist, die Schafe und Lämmer zu weiden. Daher sagt er selbst, indem er in Johannes die Form seines Lebens zurückließ: „Ich habe euch ein Beispiel gegeben, damit, gleichwie ich euch gethan habe, auch ihr thuet." Und insbesondere zum Petrus sagte er, als er ihm das Amt des Hirten anvertraute, wie wir in ihm denselben haben: „Petrus, folge mir!" Aber Christus wies eine Herrschaft dieser Art, als er vor Pilatus stand, von sich. „Mein Reich ist nicht von dieser Welt, — sagte er; wenn mein Reich von dieser Welt wäre, so würden meine Diener ja für mich streiten, daß ich den Juden nicht überliefert würde; mein Reich ist aber nicht von hier." Dies ist nicht so zu verstehen, als ob Christus, welcher Gott ist, nicht der Herr dieses Reiches sei, da der Psalmist sagt: „Sein ist das Meer, er selbst hat es gemacht, und seine Hände haben das Trockene gegründet" — sondern weil er als Vorbild der Kirche für dieses Reich keine Sorge trug, gleichwie wenn ein goldener Siegelring von sich selbst sagte: Ich bin kein Maß in irgend einem Geschlecht; welche Rede keine Geltung hat, insofern er Gold ist, da Gold das Maß in dem Geschlecht der Metalle ist, sondern insofern es zum Abdruck eines Zeichens bestimmt ist. Zur Form der Kirche gehört es aber nicht anders zu sprechen als zu meinen. Anders denken als meinen ist der Form entgegen, wie offenbar ist, oder der Natur, denn das ist dasselbe. Hieraus folgt, daß die Kraft, das weltliche Reich unter seine Vollmacht oder Vormundschaft zu nehmen, gegen die Natur der Kirche ist. Denn der Widerspruch zwischen Meinung und Rede folgt aus dem Widerspruch in der gesprochenen oder gemeinten Sache, sowie das Wahre und Falsche des Seins oder Nichtseins in der Rede sich hervorthut, wie in der Lehre von den Aussagen gezeigt wird. Die obigen Beweise erscheinen demnach unstatthaft, und hieraus erhellt sattsam, daß das Ansehen des Kaiserthums von der Kirche mit nichten abhänge.

Obgleich in dem vorhergehenden Kapitel durch Aufweisung der Unstatthaftigkeit dargethan ist, daß das Ansehen der kaiserlichen Herrschaft in dem Ansehen des Oberbischofs seinen Grund nicht habe, ist doch noch nicht eigentlich bewiesen, daß sie unmittelbar von Gott abhänge, es sei denn aus Dem, was daraus folgt. Die Folge nämlich ist, daß, wenn sie selbst von Gottes Statthalter nicht abhängt, sie von Gott abhänge. Und daher muß also zur vollkommnen Erreichung meines Vorhabens augenfällig bewiesen werden, daß der Kaiser oder der Monarch der Welt ein unmittelbares Verhältniß habe zu dem Fürsten des Weltalls, welcher Gott ist. Um dies einzusehen, muß man wissen, daß allein der Mensch in der Reihe der Wesen die Mitte einnimmt zwischen dem Vergänglichen und Unvergänglichen. Deswegen wird er mit Recht von den Philosophen mit dem Gesichtskreise verglichen, der die Mitte macht zwischen den beiden Halbkugeln. Denn wenn der Mensch nach seinen beiden wesentlichen Theilen, der Seele und dem Leibe, betrachtet wird, so ist er vergänglich; wenn er aber nur nach dem Einen Theile, nämlich nach der Seele, betrachtet wird, so ist er unvergänglich. Deswegen sagt der Philosoph trefflich von ihr, sofern sie unvergänglich ist, im zweiten

Buche von der Seele: „Nur so allein läßt sie sich tren=
nen, wie das Fortdauernde von dem Vergänglichen."
Wenn also der Mensch in der Mitte steht zwischen dem
Vergänglichen und Unvergänglichen, so muß er, da alles
in der Mitte Stehende die Natur der beiden Enden an
sich hat, eine jede von diesen beiden Naturen an sich ha=
ben. Und da alle Natur zu einem gewissen letzten Zweck
eingerichtet ist, so folgt, daß es für den Menschen einen
doppelten Zweck gibt, daß, wie er unter allen Wesen
allein an der Unvergänglichkeit und Vergänglichkeit Theil
hat, er so auch allein von allen Wesen für ein doppeltes
Letztes bestimmt ist, wovon das Eine der Zweck des Ver=
gänglichen, das Andre der Zweck des Unvergänglichen
ist. Zwei Zwecke also bestimmte jene unaussprechliche
Vorsehung dem Menschen, um danach zu streben, näm=
lich die Seligkeit dieses Lebens, welche in der Uebung
der eigenen Kraft besteht, und durch das irdische Para=
dies abgebildet wird, und die Seligkeit des ewigen Le=
bens, welche in dem Genusse des göttlichen Anschauens
besteht, wozu die eigene Kraft sich nicht erheben kann
ohne den Beistand des göttlichen Lichtes, welche durch
das himmlische Paradies zu verstehen gegeben wird. Zu
diesen Seligkeiten muß man nun, wie zu verschiedenen
Endpunkten, durch verschiedene Mittel gelangen. Zur er=
sten nämlich gelangen wir durch philosophische Unterwei=
sung, wenn wir ihr folgen und nach den sittlichen und
erkennenden Kräften handeln; zur zweiten aber durch
geistliche Unterweisung, welche die menschliche Vernunft
übersteigt, wenn wir ihr folgen und nach den schriftmä=
ßigen Kräften handeln, nämlich nach Glauben, Hoffnung
und Liebe. Diese Endpunkte nun und Mittel, obgleich
sie uns aufgestellt sind, die einen von der menschlichen
Vernunft, die uns durch die Philosophen ganz aufgethan
ist, die andern von dem heiligen Geist, der durch Pro=
pheten und heilige Schriftsteller, der durch den ihm gleich=
ewigen Sohn Gottes, Jesus Christus, und durch dessen

Schüler die übernatürliche und uns nothwendige Wahrheit offenbart hat, würde die menschliche Begierde mit dem Rücken ansehen, wenn nicht die Menschen, gleichwie Pferde, die in ihrer thierischen Unvernunft umherschwärmen, auf ihrem Wege durch Zaum und Gebiß gebändigt würden. Daher bedurfte der Mensch hinsichtlich seines doppelten Zweckes einer doppelten Leitung, nämlich des Oberbischofs, der der Offenbarung gemäß das menschliche Geschlecht zum ewigen Leben führte, und des Kaisers, der nach philosophischer Unterweisung das menschliche Geschlecht dem zeitlichen Glücke zulenkte, damit, da zu diesem Hafen entweder keine oder wenige Menschen, wenngleich mit zu großer Schwierigkeit gelangen können, und nur nach Besänftigung der Fluten der blinden Leidenschaft, das menschliche Geschlecht frei in sanftem Frieden ausruhe. Dies ist die Fahne, nach welcher der Walter des Erdkreises insbesondere streben muß, er, welcher der römische Kaiser genannt wird, sodaß auf dem Gefilde der Menschheit Freiheit und Friede herrsche. Und da die Einrichtung dieser Welt der Einrichtung folgt, welche dem Kreisschwunge der Himmel innewohnt, so müssen dazu, daß die nützliche Unterweisung zur Freiheit und zum Frieden den Orten und Zeiten bequem angepaßt werde, diese vertheilt werden von jenem Walter, der die vollständige Einrichtung der Himmel allgegenwärtig anschaut. Dieser aber ist jener Eine, der diese vorausordnete, daß er dadurch vorausschauend durch seine Ordnungen Alles miteinander verknüpfte. Wenn Dem so ist, so erwählet allein Gott, so bestätigt er allein, da er Keinen über sich hat. Hieraus kann weiter entnommen werden, daß weder Diejenigen, welche jetzt, noch Andere, welche sonst irgend Churfürsten genannt worden sind, so genannt werden dürfen, sondern vielmehr als Herolde oder Verkündiger der göttlichen Weisheit zu betrachten sind. Daher geschieht es, daß bisweilen ein Zwiespalt entsteht unter Denen, welchen die Würde der Kundmachung ver-

lichen ist, weil entweder alle oder doch einige derselben,
von dem Nebel der Begierde umdunkelt, das Antlitz der
göttlichen Verwaltung nicht unterscheiden. So erhellt
also, daß das Ansehen der weltlichen Monarchen ohne
irgend eine Mittelperson aus dem Quell des allgemeinen
Ansehens sich auf ihn herabsenkt, welcher Quell in dem
Bronnen seiner Ungetheiltheit vereinigt in vielfache Bäche
sich vertheilt nach dem Ueberschwang der göttlichen Güte.

Und so glaube ich denn nun das vorgesteckte Ziel erreicht zu haben. Denn enthüllt ist die Wahrheit jener
Untersuchung, welche die Frage betraf, ob die Monarchie
zum Heile der Welt nothwendig sei, sowie die zweite, ob
das römische Volk sich mit Recht die Herrschaft angeeignet habe, und die dritte und letzte, ob das Ansehen
des Monarchen von irgend einem Andern oder von Gott
unmittelbar abhange? Das Ergebniß der letzten Unter=
suchung ist freilich nicht so strenge zu nehmen, daß der
römische Kaiser sich in keinem Punkte dem römischen
Oberbischof unterwerfe, da das irdische Glück sich gewissermaßen dem himmlischen Glücke zuordnet. Daher erweise
der Cäsar dem Petrus jene Ehrerbietung, welche dem
Vater von dem erstgebornen Sohne zukommt, damit er,
durch das Licht der väterlichen Gnade erleuchtet, um so
kräftiger den Erdkreis bestrale, dem er von jenem allein
vorgesetzt ist, der da ist aller geistlichen und weltlichen
Dinge Regierer.

# Ueber die Volksſprache.

## (De vulgari eloquentia.)

# Erstes Buch.

## Erstes Kapitel.

Was die Volkssprache sei, und wie sie sich von der Grammatik
unterscheide.

Da wir finden, daß Niemand vor uns die Lehre von
der Volksberedsamkeit behandelt habe, und wir sehen, daß
eine solche Beredsamkeit Allen durchaus nöthig sei, da
ihr nicht blos Männer, sondern auch Frauen und kleine
Kinder nachstreben, soweit die Natur es erlaubt, indem
wir den Verstand Derer einigermaßen aufklären wollen,
welche wie blind durch die Straßen wandeln, meistens
das Hintere für das Vordere haltend, werden wir, mit
vom Himmel günstig hauchendem Worte, der Rede der
Völker zu nützen versuchen, nicht blos das Wasser unsers
Geistes für einen solchen Trunk schöpfend, sondern durch
Empfang oder Auswahl von Andern, das Bessere
mischend, um daraus den süßesten Honigwassertrank bereiten zu können. Aber weil man nicht jede Lehre billi-
gen, sondern seinen Gegenstand erschließen muß, damit
man wisse, was es sei, womit er sich beschäftigt, sagen
wir schnell aufmerkend, daß wir Volkssprache diejenige
nennen, an welche sich die Kinder durch ihre Umgebung

gewöhnen, sobald sie anfangen, die Stimmen zu unterscheiden, oder mit kürzerem Ausdruck, Volkssprache, behaupten wir, sei diejenige, welche wir ohne alle Regel
der Amme nachahmend lernen. Wir haben sodann eine
andere zweite Rede, welche die Römer Grammatik genannt haben. Diese zweite haben nun die Griechen und
Andere, aber nicht Alle; zum Gebrauch derselben aber
gelangen nur Wenige, weil wir nur in geraumer Zeit
und durch anhaltenden Eifer Regeln und Lehre derselben
fassen. Von diesen beiden ist die Volkssprache die edlere,
theils, weil sie zuerst von dem menschlichen Geschlechte
gebraucht wurde, theils, weil der ganze Erdkreis sich derselben erfreut, obgleich sie in verschiedene Ausdrücke und
Wörter sich getheilt hat, theils weil sie uns natürlich ist,
während jene vielmehr künstlich vorhanden ist; und von
dieser edleren ist unsere Absicht zu handeln.

---

## Zweites Kapitel.

### Daß der Mensch allein den Austausch der Rede hat.

Diese ist unsere erste wahre Sprache, ich sage aber nicht
unsere, als ob es noch eine andere gäbe als die des
Menschen: denn von Allen, die vorhanden sind, ist dem
Menschen allein das Sprechen verliehen, weil es ihm
allein nothwendig war. Nicht den Engeln, nicht den
niedern Geschöpfen war es nothwendig, sondern unnütz
wäre es ihnen verliehen worden, was denn die Natur zu
thun verschmäht. Denn wenn wir genau zusehen, was
wir beabsichtigen, wenn wir sprechen, so leuchtet ein,
nichts Anderes, als die Vorstellung unsers Geistes Andern
kund zu machen. Da nun die Engel zur Eröffnung

ihrer glorreichen Vorstellungen die bereiteste und unaussprechliche Genüge des Verstandes haben, wodurch sowol
einer dem andern sich an sich völlig kund gibt, als auch
wenigstens durch jenen glänzendsten Spiegel, in welchem
alle auf das schönste sich darstellen und sich aufs begie-
rigste schauen, scheinen sie keines Zeichens der Rede bedurft zu haben. Und wenn rücksichtlich der Geister ein
Einwurf gemacht würde, welche fielen, kann auf doppelte
Weise geantwortet werden. Zuerst, daß, wenn wir von
Dem handeln, was zum Wohlbefinden nöthig ist, wir
Diejenigen übergehen dürfen, welche als Verderbte die
göttliche Sorge nicht haben erwarten wollen. Oder zweitens, und besser, daß selbst die Dämonen, um ihre Treu-
losigkeit unter einander kund zu thun, nicht zu wissen bedürfen, als wer, von wem, warum und wie groß er ist,
was sie ja wissen; denn sie haben vor dem Sturz einander kennen gelernt. Auch für die niederen Geschöpfe,
da sie blos von dem Naturtriebe geleitet werden, brauchte
nicht an Rede gedacht zu werden, denn alle von derselben
Art haben dieselben Thätigkeiten und Zustände und können
so durch die eigenen die fremden kennen lernen. Unter
denen aber, welche von verschiedenen Arten sind, war
die Sprache nicht allein nicht nöthig, sondern sie wäre
durchaus schädlich gewesen, da kein freundlicher Verkehr
bei ihnen gewesen wäre. Und wenn ein Einwurf hergenommen würde von der zu dem ersten Weibe sprechenden
Schlange oder von dem Esel des Bileam, daß sie gesprochen haben, so antworten wir hierauf, daß der Engel
in diesem und der Teufel in jener so wirkten, daß die
Thiere selbst ihre Werkzeuge bewegten, daß daraus eine
bestimmte Sprache erfolgte wie eine wahre Rede, nicht
als ob das der Eselin etwas Anderes gewesen wäre als
ein Schreien, oder das der Schlange als ein Zischen.
Wenn aber Jemand einen Schluß dagegen machte nach
Dem, was Ovid sagt im fünften Buch der Metamor-
phosen von den sprechenden Spechten, so sagen wir, daß

Dante, Prosaische Schriften. II.                    5

er dies figürlich sagt, Anderes darunter denkend.[1] Und
wenn gesagt wird, daß Spechte und andere Vögel annoch
sprechen, so sagen wir, daß dies falsch ist, weil eine
solche Aeußerung nicht ein Sprechen ist, sondern eine
Art von Nachahmung des Tons unserer Stimme, oder
daß sie streben uns nachzuahmen, insofern wir Töne von
uns geben, aber nicht insofern wir sprechen. Daher wenn
einem deutlich Sprechenden ein Specht dies zurückschallen
ließe, so wäre dies nur eine Nachbildung oder Nachahmung des Tones Dessen, der zuerst gesprochen hätte.
Und so leuchtet ein, daß dem Menschen allein das Sprechen gegeben worden sei. Aber warum es ihm nothwendig war, wollen wir kürzlich abzuhandeln versuchen.

---

## Drittes Kapitel.

### Daß für den Menschen der Austausch der Rede nothwendig war.

Da nun der Mensch nicht durch den Naturtrieb, sondern
durch die Vernunft bewegt wird und die Vernunft selbst
theils in dem Unterscheidungsvermögen, theils im Urtheil,
theils in der Wahl bei den Einzelnen abweichend ist,
sodaß fast jeder sich seiner eigenen Art zu erfreuen scheint,
sind wir der Meinung, daß an den eigenen Thätigkeiten
oder Zuständen Niemand gleich dem vernunftlosen Thiere
den Andern verstehe; noch geschieht es auch, daß gleich
dem Engel durch geistige Anschauung Einer in den Andern eingehe, da durch die Grobheit und Dichtigkeit des
sterblichen Körpers der menschliche Geist gehalten wird.

---

[1] Siehe das Gastmahl, dritte Abhandlung, siebentes Kapitel.

Es mußte also das menschliche Geschlecht zur Mitthei-
lung seiner Vorstellungen untereinander ein vernünftiges
Zeichen und ein sinnliches haben, weil, wenn etwas da
war von der Vernunft anzunehmen und der Vernunft
zu übergeben, es vernünftig sein mußte, wenn aber von
einer Vernunft zur andern nichts übertragen werden
konnte als durch ein sinnliches Mittel, es sinnlich sein
mußte; weil, wenn es blos vernünftig war, es nicht
übergehen konnte, wenn aber blos sinnlich, es weder von
der Vernunft etwas annehmen, noch bei der Vernunft
hätte niederlegen können. Dies ist nun ein Zeichen, daß
eben der Gegenstand, von welchem wir sprechen, edel ist,
daß er von Natur zwar sinnlich sei, soweit er Ton ist,
vernünftig aber, sofern er etwas zu bedeuten scheint nach
Gefallen.

## Viertes Kapitel.

Welchem Menschen zuerst Sprache gegeben wurde, was er
zuerst sprach, und in welcher Sprache.

Den Menschen allein ward es verliehen zu sprechen,
wie aus dem Vorhergehenden einleuchtet. Nun muß auch,
glaube ich, untersucht werden, welchem Menschen zuerst
Sprache gegeben sei, und was er zuerst gesprochen habe,
und an wen, und wo, und wann, desgleichen in welcher
Mundart sich das erste Sprechen ergoß. Nach Dem,
was im Anfange des ersten Buches Mosis gelesen wird,
wo die heilige Schrift von dem Uranfange der Welt
handelt, findet man, daß die Frau vor Allen gesprochen
habe, nämlich jene höchst vorwitzige Eva, als sie dem
Teufel auf seine Frage antwortete: Die Frucht der
Bäume, welche im Paradiese sind, essen wir; aber die

5*

Frucht des Baumes, der mitten im Paradiese ist, verbot uns Gott zu essen oder ihn zu berühren, damit wir nicht etwa stürben. Aber obgleich die Frau in der Schrift früher gesprochen zu haben befunden wird, ist es dennoch wahrscheinlich, daß wir glauben, der Mann habe früher gesprochen; und nicht unangemessen glaubt man, daß eine so treffliche Aeußerung des menschlichen Geschlechtes eher vom Mann als von der Frau ausgegangen sei. Vernünftigerweise glauben wir nun, daß dem Adam früher zu sprechen verliehen sei von Dem, der ihn sofort selbst gebildet hatte. Was aber zuerst die Stimme des zuerst Sprechenden von sich gegeben habe, zweifle ich nicht, daß jedem verständigen Menschen klar sei, es sei Das gewesen, was Gott bedeutet, nämlich Eli, sei es nun in Frageweise oder in Antwortsweise. Abgeschmackt und der Vernunft schauderhaft scheint es, daß früher als Gott etwas von dem Menschen genannt sei, da der Mensch von ihm und durch ihn gemacht ist. Denn wie nach dem Falle des menschlichen Geschlechtes Jeder den Anfang seiner Rede anhebt mit Ach, so ist es wahrscheinlich, daß Derjenige, welcher vorher da war, sie mit Freude begann, und da keine Freude außerhalb Gott ist, sondern ganz in Gott, und Gott selbst ganz Freude ist, so folgt, daß der zuerst Sprechende zuerst und vor Allem gesagt habe: Gott. Es entsteht auch hier dies Bedenken: wenn wir oben sagen, daß der Mensch antwortweise zuerst gesprochen habe, so war die Antwort, wenn es eine solche war, an Gott; denn, wenn sie an Gott war, so möchte es wol scheinen, daß Gott schon gesprochen habe, was dem vorher Angedeuteten zuwider zu sein scheint. Hierauf sagen wir, daß wol auf Gottes Frage geantwortet werden konnte, ohne daß doch Gott die Sprache selbst, welche wir meinen, gesprochen habe. Denn wer zweifelt, daß Alles, was nur ist, sich nach Gottes Wink beuge, von welchem Alles gemacht und erhalten und auch regiert ist. Wenn daher die Luft in solche Bewegungen gesetzt

wird durch die Gewalt der niederen Natur, welche die
Dienerin und Vollstreckerin Gottes ist, daß sie Donner
erschallen, Blitze leuchten, Wasser seufzen heißt, Schnee
ausschüttet, Hagel schleudert, wird sie nicht auch durch
den Befehl Gottes bewegt werden, einige Worte ertönen
zu lassen, indem Der sie sondert, der Größeres gesondert
hat? Warum nicht? Daher glauben wir, daß hiefür
und für einiges Andere dies genüge.

---

# Fünftes Kapitel.

### Wo und zu wem der Mensch zuerst gesprochen habe.

Indem wir nun nicht ohne aus dem Frühern wie aus
dem Späteren genommenen Grund glauben, daß an
Gott selbst ursprünglich der Mensch die Rede gerichtet
habe, sagen wir vernünftigerweise, daß er, welcher zuerst
sprach, bald, nachdem er von belebender Kraft angehaucht
wurde, ununterbrochen gesprochen habe. Denn wir halten
es am Menschen für menschlicher, daß er empfunden
werde, als daß er empfinde, sofern er nur empfunden
wird und empfindet als Mensch. Wenn also jener Werk-
meister und Urquell und Liebhaber der Vollkommenheit
durch seinen Hauch den ersten Menschen mit aller Vollkommenheit erfüllte, so erscheint es uns vernünftig, daß
das vollkommenste Geschöpf nicht eher angefangen habe
zu fühlen als gefühlt zu werden. Wenn aber Jemand
dagegen mit dem Einwand auftritt, daß er nicht zu reden
hatte, da er noch der einzige Mensch war, und Gott
alle Geheimnisse ohne Worte erkennt, selbst vor uns, so
sagen wir mit jener Ehrerbietung, deren man sich zu bedienen hat, wenn wir über den ewigen Willen irgend
urtheilen, daß, obgleich Gott wußte, ja vorauswußte

(was bei Gott eins und daſſelbe iſt) ohne Rede die Vor=
ſtellung des erſten Redenden, er dennoch wollte, daß er
rede, damit an der Aeußerung einer ſo großen Gabe er
ſelbſt ſeine Freude habe, der ſie freiwillig geſchenkt hatte.
Daher iſt es als etwas von Gott Verliehenes zu betrach=
ten, daß wir über die geordnete Thätigkeit unſerer Ge=
müthsbewegungen uns freuen: und daher können wir
zweifelsohne den Ort beſtimmen, wo die erſte Rede ans
Licht gekommen iſt, inſofern wir, daß, wenn der Menſch
außerhalb des Paradieſes angehaucht wurde, außerhalb,
wenn aber innerhalb, der Ort der erſten Rede innerhalb
geweſen ſei, bewieſen haben.

## Sechſtes Kapitel.

### In welcher Mundart der Menſch zuerſt geredet habe, und woher er der Urheber dieſes Werkes geweſen.

Weil das menſchliche Geſchäft in ſehr vielen und ver=
ſchiedenen Mundarten geübt wird, ſodaß Viele von Vielen
nicht anders verſtanden werden durch Worte als ohne
Worte, ziemt es ſich, die Mundart aufzuſuchen, deren
man glaubt, daß ſich der Mann ohne Mutter, der Mann
ohne Muttermilch, der weder die Zeit der Kindheit noch
die Jünglingszeit ſah, bedient habe. In dieſem Punkte,
wie auch in vielen andern, iſt die Stadt Petramala die
weitläufigſte und das Vaterland des größten Theils der
Kinder Adam's. Denn wer immer von ſo misgeſtalteter
Vernunft iſt, daß er den Ort ſeiner Nation für den
köſtlichſten hält unter der Sonne, dem iſt es auch erlaubt,
allen ſeine Volksſprache, das heißt, Mutterſprache, vorzu=
ziehen, und folglich ſie für diejenige zu halten, welche
Adam hatte. Wir aber, denen die Welt Vaterland iſt,

wie den Fischen das Meer, obgleich wir den Sarno tranken vor dem Zahnen, und Florenz so lieben, daß weil wir es liebten, wir die Verbannung leiden ungerechterweise, stützen die Schultern unsers Urtheils mehr an der Vernunft als am Gefühl, und obwol für unser Vergnügen oder für die Ruhe unserer Sinnlichkeit kein lieblicherer Ort auf Erden sich findet als Florenz, aufschlagend die Rollen der Dichter und anderer Schriftsteller, in welchen die Welt im Allgemeinen und theilweise beschrieben wird, und bei uns erwägend die mannichfaltigen Lagen der Orte in der Welt, und ihre Beschaffenheit an beiden Polen und an dem Aequator, bedenken, daß es viele gibt, und glauben fest, auch edlere und vergnüglichere als Thuscien und Florenz, wo ich geboren und dessen Bürger ich bin, und daß manche Nationen und Völker sich einer lieblicheren und tauglicheren Sprache bedienen als die Lateiner. Zurückkehrend also zu unserem Vorhaben sagen wir, daß eine gewisse Form der Sprache von Gott mit der ersten Seele miterschaffen sei, ich sage aber Form, sowol mit Hinsicht auf die Worte für die Dinge, als auf den Bau der Worte und auf die Erweiterung des Satzbaues, welche Form jede Sprache der Sprechenden haben würde, wenn sie nicht durch Schuld menschlicher Vermessenheit zerstört wäre, wie weiter unten gezeigt werden wird. In dieser Form der Sprache sprach Adam, in dieser Form der Sprache sprachen alle seine Nachkommen bis auf den Thurmbau zu Babel, den man für den Thurm der Verwirrung erklärt: diese Form der Sprache erbten die Söhne Heber's, welche von ihm Hebräer genannt wurden. Ihnen allein verblieb sie nach der Verwirrung, damit unser Heiland, der unter jenen geboren werden sollte, nach seiner Menschheit nicht der Sprache der Verwirrung, sondern der der Gnade sich erfreute. So war denn die hebräische Mundart diejenige, welche die Lippen des ersten Sprechenden bildeten.

# Siebentes Kapitel.

Von der Theilung der Rede in mehrere Sprachen.

Jetzt, ach! vergehe ich vor Scham, die Schmach des menschlichen Geschlechtes zu erneuern; aber da ich es nicht umgehen kann, meinen Weg durch sie hindurch zu nehmen (obwol mir die Röthe ins Gesicht steigt und mein Geist zurückbebt), so will ich sie durcheilen. O über unsere zu Fehltritten geneigte und von Anfang und nie ablassende sündige Natur! War es nicht genug gewesen zu deiner Verderbniß, daß du wegen deiner Uebertretung der Wonnen beraubt fern von der Heimat im Bann lebtest? War es nicht genug, wegen der allgemeinen Schwelgerei deiner Familie und ihres Trotzes, mit Ausnahme einer einzigen, welche gerettet wurde, daß Alles, was dein war, in der Sündflut unterging, und die Strafe für das Unheil, das du begingest, die Geschöpfe des Himmels und der Erde schon gebüßt hatten? Wahrlich genug war es gewesen; aber wie es im Sprichwort heißt: Nicht vor der dritten Stunde wirst du reiten; aber du wolltest lieber elend ein elendes Pferd besteigen. Siehe da, Leser, daß der Mensch, entweder uneingedenk oder geringachtend die früheren Lehren und abwendend die Augen von den Striemen, welche zurückgeblieben waren, zum drittenmal sich auflehnte gegen die Geißelhiebe, aus Stolz der Thorheit sich vermessend. Und so vermaß sich in seinem Herzen der heillose Mensch von dem Riesen überredet durch seine Kunst nicht blos die Schöpfung zu übertreffen, sondern auch den Schaffenden, welcher Gott ist, und begann einen Thurm in Sennaar zu erbauen, der nachher Babel genannt worden ist, das heißt, die Verwirrung, durch welchen er den Himmel zu ersteigen hoffte, trachtend in seiner Thorheit seinem Schöpfer nicht

gleichzukommen, sondern ihn zu überwinden. O maßlose
Langmuth der himmlischen Herrschaft! Welcher Vater,
vom Sohne beleidigt, würde so viel ertragen? Aber sich
aufrichtend, züchtigte er, nicht mit feindseliger, sondern
mit väterlicher, sonst schon der Streiche gewohnter Ruthe
den aufrührerischen Sohn mit mitleidiger und zugleich
unvergeßlicher Zurechtweisung. Hatte sich doch fast das
ganze menschliche Geschlecht zum gottlosen Werke vereinigt,
Einige befahlen, Andere waren Baumeister, Andere
gründeten Mauern, Andere verkütteten sie mit Blei,
Andere zogen Seile, Andere sprengten Steine, Andere
führten sie zu Wasser, Andere zu Lande herbei, und so
widmeten sie sich Verschiedene verschiedenen Geschäften,
als sie vom Himmel herab mit solcher Verwirrung ge-
schlagen wurden, daß, die Alle mit einer und derselben
Sprache dem Werke dienten, in viele Sprachen zertheilt
von dem Werke abstanden und niemals zu demselben
Verkehr zusammenkamen. Denn Denen allein, die in
Einer Thätigkeit sich vereinigten, blieb dieselbe Sprache,
zum Beispiel allen Baumeistern eine, allen Zusammen-
führern von Steinen eine, Allen, die dieselben zuberei-
teten, eine; und so geschah es bei den einzelnen Arbeitern;
soviel aber mannigfaltige Geschäfte bei dem Werke thätig
waren, in so viel Sprachen wurde damals das menschliche Geschlecht zertheilt. Und je vortrefflicher die Arbeit,
desto rauher und barbarischer war nun die Sprache;
Diejenigen aber, denen eine heiligere Mundart blieb, die
waren weder gegenwärtig, noch lobten sie die Beschäfti-
gung, sondern mit heftigem Tadel verspotteten sie die
Thorheit der Arbeitenden. Aber dies war der Zahl nach
der geringste Theil vom Samen Sem, wie ich vermuthe,
welcher der dritte Sohn Noah's war, von welchem das
Volk Israel entsprungen ist, die sich der ältesten Sprache
bedienten bis auf ihre Zerstreuung.

5**

# Achtes Kapitel.

Vertheilung der Mundart über die Welt und besonders in
Europa.

Nach der zuvor erwähnten Verwirrung der Sprachen
urtheilen wir ohne Leichtsinn, daß die Menschen die verschiedenen Himmelsstriche und Gegenden und Winkel derselben zu bewohnen erst damals zerstreut wurden. Und
da die Wurzel des Menschenstammes vornehmlich in den
östlichen Gegenden gepflanzt wurde, verbreitete sich von
da nach beiden Seiten hin durch vielfach verbreitete Ab-
leger unser Stamm und zog sich endlich bis an die westlichen Grenzen, woraus zuerst damals entweder die Flüsse
des ganzen Europa oder wenigstens einige derselben die
vernünftigen Kehlen tranken. Aber mochten ursprünglich
Ankömmlinge gekommen sein oder Eingeborne nach Europa zurückkehren, eine dreifache Mundart brachten die
Menschen mit, und einige der Mitbringenden wählten
sich die südliche, andere die mitternächtliche Gegend von
Europa, und die Dritten, welche wir jetzt Griechen nennen, nahmen einen Theil von Europa, einen Theil von
Asien ein. Von einer und derselben Mundart, die durch
eine garstige Verwirrung angenommen war, empfingen
nachher verschiedene Volkssprachen ihren Ursprung, wie wir
unten zeigen werden. Denn der ganze Strich von den
Ausflüssen der Donau oder von den mäotischen Sümpfen
bis zu den westlichen Grenzen (welchen von den Grenzen
Englands, der Italer und Franken und dem Ocean eingeschlossen werden) erhielt eine Mundart, obgleich sie
nachher durch die slavonischen, ungrischen, deutschen, säch-
sischen, englischen und andere viele Nationen in verschiedene Volkssprachen abgeleitet wurde, indem dies allein
fast allen als Zeichen desselben Ursprunges zurückblieb,

daß fast alle vorhergenannten bejahend mit Jo antworten.
Beginnend von dieser Mundart, nämlich von den Gren=
zen der Ungarn nach Osten zu, nahm eine andere das
Ganze ein, was von da an Europa genannt wird, und
erstreckte sich weiter. Das Ganze aber, was in Europa
von diesen an übrig bleibt, nahm eine dritte Mundart
ein, wenn sie gleich nicht dreifach scheint. Denn Einige
sprechen bejahend Oc, Andere Oil, Andere Si, nämlich
die Spanier, Franzosen und Lateiner. Ein Zeichen aber,
daß von einer und derselben Mundart dieser drei Völker
Sprachen abstammen, ist bereit, weil sie Vieles mit den=
selben Ausdrücken benennen, zum Beispiel Deum, Cae-
lum, Amorem, Mare, Terram und Vivit, Moritur,
Amat, fast alles Andere. Von diesen aber nehmen Die=
jenigen, welche Oc sprachen, den westlichen Theil des
südlichen Europas ein, beginnend von den Grenzen der
Genueser. Diejenigen aber, welche Si sagen, nehmen
den östlichen ein von den obgenannten Grenzen an, näm=
lich bis an jenes Vorgebirge Italiens, wo der Busen des
adriatischen Meeres anfängt, und bis Sicilien. Aber
Diejenigen, welche Oil sprechen, sind gewissermaßen die
mitternächtlichen mit Hinsicht auf diese; denn östlich haben
sie die Alemannen und mitternächtlich, westlich sind sie
vom englischen Meere eingeschlossen und von den Bergen
Arragoniens begrenzt, mittäglich auch werden sie von
den Provenzalen und der Biegung des Appennins ein=
geschlossen.

# Neuntes Kapitel.

Von der dreifachen Verschiedenheit der Rede, und auf welche
Weise mit den Zeiten dieselbe Mundart verändert wird, und
von der Erfindung der Grammatik.

Wir müssen aber jetzt die Vernunft, welche wir besitzen, aufbieten, da wir Das zu untersuchen beabsichtigen,
worin wir uns auf kein Ansehen stützen, das heißt, hinsichtlich der erfolgten Veränderung der ursprünglich einen
und selbigen Mundart, insofern man bekanntere Wege
sicherer und kürzer durchschreitet. Wir wollen aber nur
die eine Mundart, welche wir haben, fortsetzen mit
Uebergehung der andern. Denn was in der einen vernunftgemäß ist, das scheint auch bei den andern stattzufinden. Nun ist diejenige Mundart, welche wir zu
betrachten vorhaben, dreifach, wie oben gesagt ist. Denn
Einige sprechen Oc, Andre Si, Andre aber Oil, und daß
sie eins war vor dem Beginn der Verwirrung, was
zuerst zu beweisen ist, leuchtet daraus hervor, daß wir
übereinstimmen in vielen Ausdrücken, wie die beredten
Lehrer zeigen. Diese Uebereinstimmung widerstreitet nun
jener Verwirrung, welche das Vergehen war bei dem
Bau zu Babel. Die Lehrer der drei Sprachen stimmen
nun in Vielem überein, und hauptsächlich in dem Worte,
welches Amor heißt.

Gerard von Brunel.
> Surisentis fez les aimes
> Puer encuser Amor.

Der König von Navarra.
> De fin amor suoent sen et benté.

Herr Guido Guinizelli.
> Nè se'amor prima, che gentil cuore,
> Nè cuor gentil prima ch'amor, natura.

Warum sie aber von Anfang sich dreifach verändert habe, laßt uns untersuchen, und warum jede von diesen Veränderungen sich in sich selbst verändert, ich meine die Sprache des rechten Italiens von der des linken abweicht; denn anders sprechen die Paduaner und anders die Pisaner, und warum die näher bei einander wohnenden dennoch in der Rede abweichen wie die Mailänder und Veroneser, die Römer und Florentiner, ja Diejenigen, welche in demselben Namen des Geschlechts übereinkommen, wie die Neapolitaner und Gaetaner, die Ravenaten und Faenzer, und, was noch wunderbarer ist, Diejenigen, welche in derselben Stadt wohnen, zum Beispiel die Bolognesen der Burg von S. Felice und die Bolognesen der Strada maggiore. Alle diese Verschiedenheiten und Abweichungen im Sprechen, welche geschehen, werden sich auf eine und dieselbe Weise erklären. Wir sagen daher, daß keine Wirkung ihre Ursache übertrifft, soweit sie Wirkung ist, weil nichts bewirken kann, was es nicht ist. Da also unsre ganze Sprache (mit Ausnahme derjenigen, welche uns zuerst von Gott anerschaffen wurde) von unserm Gutdünken hergestellt ist nach jener Verwirrung, welche nichts Anderes war als ein Vergessen der ersten, und der Mensch das unbeständigste und veränderlichste Geschöpf ist, so kann sie weder dauerhaft noch fortbestehend sein, sondern muß, wie alles Andre, was uns gehört, nämlich Sitten und Gewohnheiten, nach Entfernung von Orten und Zeiten sich verändern. Und ich glaube, daß nicht zu zweifeln sei an der Weise der Zeiten hinsichtlich Dessen, was wir gesagt haben, sondern wir glauben, daß es festzuhalten sei; denn, wenn wir unsre andern Werke untersuchen, so scheinen diese viel mehr von unsern ältesten Mitbürgern abzuweichen als von den weitentfernten Zeitgenossen. Deswegen behaupten wir kühnlich, daß, wenn die ältesten Paduaner jetzt auferständen, so würden sie in einer veränderten und von den neueren Paduanern verschiedenen

Sprache reden, und nicht wundersamer möchte Das erscheinen, was wir sagen, als einen erwachsenen Jüngling
zu sehen, den wir nicht erwachsen sahen. Denn was
sich allmälig bewegt, wird von uns sehr wenig bemerkt,
und je längere Zeit die Veränderung einer Sache um
bemerkt zu werden erfordert, um so beständiger halten
wir sie. Denn wir wundern uns nicht, wenn die Meinung derjenigen Menschen, welche sich von den vernunftlosen Thieren wenig unterscheiden, glaubt, daß eine und
dieselbe Stadt sich einer gleichen Sprache stets bedient
habe, da die Veränderung der Sprache derselben Stadt
nur in einer langen Zeitfolge allmälig geschieht, und der
Menschen Leben auch seiner eigenen Natur zufolge sehr
kurz ist. Wenn also in einem und demselben Volke die
Sprache sich verändert, wie gesagt ist, allmälig im Zeit-
verlauf, und durchaus nicht feststehen kann, so muß
sie Denen, welche getrennt und fern weilen, auf man-
nichfache Art sich verändern, wie sich mannichfach verändern Sitten und Gewohnheiten, welche weder durch
Natur noch durch Verkehr befestigt werden, sondern nach
menschlichem Gutdünken und nach örtlicher Angemessen-
heit entstehen. Daher standen die Erfinder der gram-
matischen Kunst auf. Diese Grammatik ist nichts Anderes, als eine gewisse unveränderliche Einerleiheit der
Sprache in verschiedenen Zeiten und Orten. Als diese
nach gemeinschaftlicher Uebereinkunft vieler Völker geordnet war, scheint sie keinem einzelnen Gutdünken unterworfen und folglich nicht veränderlich zu sein. Sie er-
fanden nun diese, damit wir nicht wegen Veränderung
der Sprache, welche nach dem Gutdünken Einzelner
schwankt, entweder gar nicht, oder wenigstens unbedeu-
tend anrührten das Ansehen und die Thaten der Alten
oder Derjenigen, welche die Verschiedenheit der Orte von
uns verschieden macht.

———

# Zehntes Kapitel.

Von der Verschiedenheit der Mundart in Italien auf der rechten und linken Seite der Apenninen.

Indem nun unsre Mundart sich dreifach zeigt, wie oben gesagt ist, wenn wir sie mit sich selbst vergleichen, je nachdem sie dreifach lautend geworden ist, so zögern wir bei der Erwägung mit so großer Furchtsamkeit, weil wir diesen oder jenen, oder jenen Theil bei der Vergleichung nicht voranzustellen wagen, ausgenommen hinsichtlich des sic, daß wir von den Grammatikern als Beiwort der Bejahung angenommen finden, was den Italern, welche Si sagen, einen gewissen Vortritt einzuräumen scheint. Denn jede von den drei Parteien führt ihre Sache mit bedeutenden Gründen. Die Sprache Oïl führt nämlich für sich an, daß wegen ihrer leichteren und anmuthigeren Volkssprache Alles, was in der prosaischen Volkssprache übergeben ist und sich darin findet, ihr gehört, nämlich die Sammlung der biblischen Schriften nebst den Thaten der Trojaner und Römer und die herrlichen Sagen von König Artus, und gar viele andre Geschichten und belehrende Schriften. Die andre aber, die von Oc, führt für sich an, daß beredte Leute aus dem Volke in ihr von Alters her gedichtet haben, wie in der vollkommneren und lieblicheren Sprache, zum Beispiel Peter von Alvernia und andre ältere Gelehrte. Die dritte, die der Lateiner, bezeugt durch zwei Vorrechte, daß sie den Vorrang habe, erstlich, daß Diejenigen, welche lieblich und scharfsinnig in der Volkssprache dichteten, ihre Familien- und Hausgenossen sind, als da sind Cino von Pistoja und dessen Freund[1]; zweitens, weil sie sich mehr auf die Grammatik zu stützen scheinen, welche gemeinschaft-

---

[1] So bezeichnet sich Dante in dieser Abhandlung mehrmals.

lich ift, was Denen, die es vernünftig betrachten, ein
fehr wichtiger Grund zu fein fcheint.   Wir aber, indem
wir das Urtheil hierüber bei Seite feßen und unfre Abhandlung der lateinifchen Volksfprache zuwenden, wollen
verfuchen die in diefelbe aufgenommenen Veränderungen
anzugeben und fie untereinander zu vergleichen.   Wir
fagen demnach, daß Latium von Anfang fich getheilt
habe in die rechte und linke Seite.  Wenn aber Jemand
nach der Theilungslinie fragt, fo antworten wir, das
fei das appenninifche Joch, weil es fich gleichwie der
Halm einer Pfeife von hier und dort nach verfchiedenen
Strömungen fenkt, und die Gewäffer zu den beiden verfchiedenen Ufern von hier und dort durch lange Rinnen
fich fchlängeln, wie Lukan im zweiten Buch befchreibt.
Die rechte  Seite  aber hat zum Obdach das tyrrhenifche
Meer, die linke aber fällt ins abriatifche ab.   Und die
Gegenden rechts find Apulien, doch nicht ganz, Rom,
das Herzogthum Tuscien und die Genuefer Mark.  Zur
Linken aber ift ein Theil von Apulien, die Mark Ankona, Romagna, die Lombardei, die Trevifaner Mark
nebft Venedig.   Friaul aber und Iftrien können nur zur
linken Seite Italiens gehören, und ebenfo die Infeln des
tyrrhenifchen Meers, nämlich Sicilien und Sardinien
nur zur rechten Seite Italiens gehören, oder mit dem
rechten Italien verbunden werden.   Auf jeder von diefen
beiden Seiten und in den Theilen, welche fich damit
verbinden, verändern fich die menfchlichen Sprachen, wie
die Sprache der Sicilier mit den Apuliern, der Apulier
mit den Römern, der Römer  mit den Spoletanern,
diefer mit den Tusciern, der Tuscier mit den Genuefern,
der Genuefer mit den Sardern; eben fo der Kalabrefen
mit den Ankonitanern, diefer mit den Romagnanern,
der Romagnaner mit den Lombarden, der Lombarden
mit den Trevifanern und Venetianern, und Diefer mit
den Aquilejern und diefer mit den Friaulern, worüber
wir glauben, daß kein Lateiner mit uns uneins fei.

Daher scheint Italien allein nicht weniger als vierzehn verschiedene Sprachen zu haben, welche Volkssprachen alle wieder in sich verschieden sind, nämlich in Tuscien die Sienesen und Aretiner, in der Lombardei die Ferraresen und Placentiner, ja in derselben Stadt finden wir einige Verschiedenheit, wie wir in dem unmittelbar vorhergehenden Kapitel behauptet haben; wenn wir daher die Veränderungen erster, zweiter und dritter Klasse der Volkssprache in Italien in Rechnung bringen wollen, so möchten wir wohl in diesem so kleinen Winkel der Welt nicht blos auf eine tausendfache Veränderung der Sprache kommen, sondern noch darüber hinaus.

# Elftes Kapitel.

### Es wird gezeigt, daß einige in Italien eine häßliche und schmucklose Sprache haben.

Da die lateinische Volkssprache in vielen Veränderungen mistönt, wollen wir die zierlichere und edle Sprache Italiens aufsuchen, und um einen durchsichtigen Pfad für unsern Weg zu gewinnen, wollen wir zuerst die verwachsenen Gesträuche und Dornen ausreuten aus dem Walde. Sowie nun die Römer glauben, daß sie Allen vorgezogen werden müssen, wollen wir auch bei dieser Ausmerzung oder Aussonderung nicht mit Unrecht sie Allen voranstellen, indem wir betheuern, daß sie bei der Betrachtung der Volksberedtheit gar nicht in Betracht kommen. Wir sagen demnach, daß die Sprache der Römer nicht eine Volkssprache, sondern vielmehr von allen Volkssprachen der Italer das häßlichste Kauderwelsch sei, und das ist nicht zu verwundern, da sie auch an

ungestalten Sitten und Gewohnheiten vor allen ekelhaft
zu sein scheinen. Denn sie sagen: Mezure quinto dici.
Nach ihnen wollen wir die Einwohner der Mark Ankona
aussondern, welche sagen Chignamente scate siate; und
mit ihnen verwerfen wir auch die Spoletaner; auch ist
nicht zu übergehen, daß zur Verhöhnung dieser drei
Völkerschaften mehrere Kanzonen erfunden sind, unter
welchen wir eine wichtig und vollkommen abgefaßt ge=
sehen haben, welche ein gewisser Florentiner mit Namen
Castra gemacht hatte; denn sie fängt an:

> Una ferina va scopai da Cascoli
> Cita cita sengia grande aina.

Nach ihnen wollen wir die Mailänder und Berga=
masken und ihre Nachbaren ausgäten, zu deren Ver=
höhnung wir uns erinnern, daß Jemand gesungen hat:

> Ente l'ora del Vesperzio
> Cu del mes dochiover.

Nach ihnen wollen wir die Aquilejer und Istrianer
sieben, welche Ces fastu' mit grausamer Betonung aus=
stoßen. Und mit ihnen wollen wir hinauswerfen alle
Berg= und Bauersprachen, welche von den Bewohnern
der Städte in der Mitte des Landes durch eine Maß=
losigkeit der Betonung immer abzuweichen scheinen, wie
die Kasentiner und Pratenser; auch die Sarder, welche
nicht Lateiner sind, aber mit den Lateinern verbunden
werden zu müssen scheinen, wollen wir verwerfen, inso=
fern sie allein keine besondere Volkssprache zu haben schei=
nen, indem sie der Grammatik nachahmen, wie die Affen
den Menschen, denn sie sprechen:

> Domus nova und dominus meus.

# Zwölftes Kapitel.

Von der sicilischen und apulischen Mundart.

Aus den gewissermaßen mit Spreu vermischten Volks=
sprachen Italiens wollen wir unter denen, welche im
Siebe zurückblieben, indem wir eine Vergleichung an=
stellen, die ehrhafteste und ehrbringendste auswählen, und
zuerst die Fähigkeit der sicilianischen untersuchen, denn
die sicilische Volkssprache scheint sich vor allen einen Ruf
zuzuschreiben, deswegen weil Alles, was die Italer dich=
ten, sicilisch genannt wird, und deswegen weil wir fin=
den, daß sehr viele der dort eingebornen Gelehrten ernst
gesungen haben, wie in jenen Kanzonen:

Ancos che l'aigua per lo foco lasse.

Und

Amor, che longiamente m'hai menato.

Aber dieser Ruf des trinakrischen Landes, wenn wir
das Merkzeichen, wohin er strebt, recht betrachten, scheint
nur zur Schmach der italischen Fürsten zurückgeblieben
zu sein, welche nicht auf heroische, sondern auf pöbel=
hafte Weise dem Stolze fröhnten. Freilich die berühm=
ten Helden, Kaiser Friedrich und sein trefflicher Sohn
Manfred, den Adel und die Gradheit ihrer Gestalt ent=
faltend, so lange das Glück ihnen treu blieb, trachteten
dem Menschlichen nach, das Thierische verschmähend, wes=
halb die an Herzen Edlen und mit Anmuth Begabten
der Majestät so großer Fürsten anzuhangen versuchten,
sodaß zu ihrer Zeit Alles, was die edelsten Lateiner
unternahmen, ursprünglich am Hofe so großer Kronen=
träger ans Licht trat. Und weil ihr Königsthron Si=
cilien war, geschah es, daß Alles, was unsre Vorgänger
in der Volkssprache verfaßten, sicilisch genannt wird, was
wir gleichfalls noch thun und auch unsre Nachkommen

nicht abzuändern vermögen werden. Racha, Racha. Was tönt jetzt die Trommete des letzten Friedrich? Was die Schelle des zweiten Karl? Was die Hörner der mächtigen Markgrafen Johann und Azzo? Was die Flöten der andern Magnaten als: Kommt, Scharfrichter, kommt, Hochmüthige, kommt Habsüchtige! Aber es ist besser, zum Vorhaben zurückzukehren, als eitel zu sprechen; und wir sagen, daß, wenn wir die sicilische Volkssprache nehmen wollen, das heißt, die, welche von dem Mittelstande der Landbewohner kommt, nach deren Mund das Urtheil abzufassen scheint, es des Vorzugs keineswegs würdig ist, weil es nicht ohne einige Zeitdauer ausgesprochen wird, wie in:

> Traggemi d'este focora se t'este a bolontate.

Wenn wir aber diese Mundart nicht nehmen wollen, sondern die, welche aus dem Munde der vornehmen Sicilianer hervorkommt, wie man in den obenangeführten Kanzonen sehen kann, so unterscheidet sie sich nicht von der, welche die lobenswertheste ist, wie wir unten zeigen. Auch die Apulier, entweder wegen eigener Bitterkeit, oder wegen der Nähe der Grenzbewohner, nämlich der Römer und Markbewohner, sprechen abscheulich barbarisch; denn sie sagen:

> Volzera che chiangesse lo quatraro.

Aber obgleich die Landbewohner unter den Apuliern insgemein häßlich sprechen, haben doch einige Hervorstralende von ihnen zierlich gesprochen, indem sie die höfischeren Ausdrücke in ihren Kanzonen zusammensuchten, wie dies Denen deutlich ist, welche ihre Gedichte betrachten, zum Beispiel:

> Madonna, dir vi voglio.

Und

> Per sino amore vo si lietamente.        \

Weshalb Denen, welche Obiges beachten, einleuchtet, daß weder die sicilische, noch die apulische Volkssprache die beste sei, da wir gezeigt haben, daß die beredten Eingebornen von der eignen Sprache abwichen.

# Dreizehntes Kapitel.

### Von der Mundart der Tuscier und Genueser.

Nach Diesen kommen wir zu den Tusciern, welche wegen ihrer Thorheit unsinnig sich den Titel der edlen Volkssprache zuzulegen scheinen, und hierin zeigt sich nicht blos die Meinung des gemeinen Volks närrisch, sondern wir finden, daß auch viele berühmte Männer sie gehabt haben, zum Beispiel Guitto von Arezzo, der sich niemals nach der höfischen Volkssprache richtete, Bonagiunta von Lukka, Gallo von Pisa, Mino Mocato von Siena, und Brunetto aus Florenz, deren Gedichte, wenn man Zeit hat sie zu prüfen, man finden wird, daß sie nicht in der Hofsprache, sondern in der Sprache ihrer Städte abgefaßt sind. Und weil die Tuscier vor allen in dieser Trunkenheit rasen, scheint es würdig und nützlich, die Volkssprachen der toskanischen Städte einigermaßen zu entdünkeln. Die Florentiner sprechen und sagen:

> Manuchiamo introcque:
> Non facciamo altro.

Die Pisaner:
> Bene andonno li fanti di Fiorenza per Pisa.

Die Lucchesen:
> Jo voto a Dio, che ingassaria lo comuno de Luca.

Die Sienesen:
> Onche rinegata avesse io Siena,

Die Arretiner:
> Votu venire ovelle.

Von der alten Stadt Perugia, von Viterbo und der Stadt Castellana, denke ich, wegen der Verwandtschaft, welche sie mit den Römern haben, nichts zu sagen. Aber obgleich fast alle Toskaner in ihrem Kauderwelsch abgestumpft sind, wissen wir doch, daß Einige die Trefflichkeit der Volkssprache eingesehen haben, nämlich Guido, Lapo, und ein Andrer, [1] welche Florentiner sind, und Cino von Pistoja, welchen wir jetzt unwürdigerweise nachsetzen, indem wir nicht unwürdigerweise gezwungen sind. Wenn wir daher die toskanischen Mundarten untersuchen und erwägen, wie hochgeehrte Männer sich von der ihrigen abwandten, bleibt kein Zweifel, daß die Volkssprache, welche wir suchen, eine andre sei als die, welche das toskanische Volk hat. Wenn Jemand aber Das, was wir von den Tusciern behaupten, von den Genuesern nicht behaupten zu dürfen glaubt, so erwäge er dies allein bei sich, daß wenn die Genueser aus Vergeßlichkeit den Buchstaben z einbüßten, sie entweder verstummen oder sich eine neue Sprache erfinden müßten; denn in z besteht der größte Theil ihrer Sprache, welcher Buchstabe sich nicht ohne viele Rauheit aussprechen läßt.

---

## Vierzehntes Kapitel.

Von der Mundart der Romagna, und von einigen transpabanischen und besonders von der venetianischen.

Jetzt über die waldigen Schultern des Apennins wandelnd wollen wir die ganze linke Seite Italiens durchspähen, wie wir es machten, als wir östlich einhergingen.

---

[1] Ein Andrer, wahrscheinlich Dante.

Die Romagna also beschreitend sagen wir, in Latium zwei Volkssprachen gefunden zu haben, von welchen die eine der andern in gewissen entgegengesetzten Uebereinstimmungen gegenübersteht. Die eine von diesen scheint so weiblich wegen der Weichheit der Wörter und der Aussprache, daß sie einen Mann (wenn er auch männlich spricht) wie eine Frau erscheinen läßt. Diese haben alle Romagnuolen, und besonders die von Forli, deren Stadt, obgleich sie sehr neu ist, die Mitte dennoch der ganzen Landschaft zu sein scheint. Diese sprechen bejahend Deusci, und, wenn sie schmeicheln, sagen sie Oclo meo und Corada mea. Wir haben gehört, daß einige von diesen in ihren Gedichten von der eigenen Sprache abgewichen sind, zum Beispiel Thomas und Ugolino Bucciola, die Faenzer. Es gibt auch eine andre, wie gesagt ist, in Worten und Betonung so rauh und dornicht, daß sie wegen ihrer rohen Rauheit nicht blos eine Frau beim Sprechen misziert, sondern macht, daß man sie für einen Mann hält. Diese haben alle Diejenigen, welche Magara sagen, nämlich die Brescianer, Veronesen, Vicentiner, und auch die Paduaner, welche synkopiren alle Participia in tus, und die abgeleiteten Wörter auf tas, wie mercò und bontè, denen wir auch die Trevisaner zugesellen, welche nach Art der Brescianer und ihrer Nachbaren den Konsonanten v wie ein f aussprechen mit Weglassung des letzten Buchstabens, z. B. Rof für Rove, Vif für Vivo, was wir als höchst barbarisch tadeln. Auch die Venetianer werden nicht würdig sein der Ehre der nachgespürten Volkssprache, und wenn einer von diesen von Irthum befangen hiemit pralte, so bedenke er, ob er je gesagt habe:

Per le plage de Dio tu non venras;

unter welchen Allen wir einen gesehen haben, welcher strebte, sich von der Muttersprache wegzuwenden und der höfischen Volkssprache zu huldigen, nämlich Ildebrando aus Padua. Daher glauben wir, wenn Alle in diesem Kapitel vor Gericht erscheinen, daß weder die aus der Romagna, noch ihr Gegentheil, wie gesagt ist, noch die venetianische die edle Volkssprache sei, welche wir suchen.

## Fünfzehntes Kapitel.

### Läßt sich weit aus über die bolognesische Mundart.

Das aber, was vom italischen Walde noch übrig ist, wollen wir rasch durchsuchen. Wir sagen demnach, daß Diejenigen vielleicht keiner übeln Meinung sind, welche behaupten, daß die Bolognesen eine schönere Mundart haben, weil sie von den umwohnenden Imolesen, Ferraresen und Modenesen etwas in ihre eigne Mundart aufnehmen, sowie wir gezeigt haben, daß alle von ihren Nachbarn etwas annehmen, wie Sordello dies von seiner Vaterstadt Mantua zeigt, welche mit Cremona, Brescia und Verona zusammengrenzt, welcher in der Beredtsamkeit so große Mann nicht blos in seinen Gedichten, sondern in allen seinen verschiedenen Schriften die Volkssprache seiner Vaterstadt aufgab. Es nehmen auch die obgenannten Bürger von den Imolesen Lindigkeit und Weichheit an, von den Ferraresen aber und Modenesen eine gewisse Geschwätzigkeit, welche den Lombarden eigenthümlich ist. Diese glauben wir sei aus der Vermischung mit den longobardischen Fremdlingen den Landbewohnern zurückgeblieben; und dies ist die Ursache, weshalb wir finden, daß Niemand aus Ferrara, Modena oder Reggio gedichtet habe. Denn die an eigenthümliche Geschwätzigkeit Gewöhnten können auf keine Weise zu der höfischen Volkssprache ohne eine gewisse Härte gelangen, was noch weit mehr von den Einwohnern Parmas zu glauben ist, welche manto für molto sagen. Wenn also die Bolognesen von beiden Seiten etwas annehmen, wie oben gesagt ist, scheint es wahrscheinlich zu sein, daß ihre Sprechart durch Vermischung mit zwei entgegengesetzten, wie gesagt ist, zu einer löblichen Milde gemäßigt werde, was wir zweifelsohne nach unserm Urtheil dafür halten, daß es so sei. Wenn daher Diejenigen, welche sie in der Volkssprache vorziehen, sie betrachten blos in Vergleich mit den Volkssprachen der Städte Italiens, so stimmen wir ihnen gern bei; wenn sie aber glauben, daß geradehin die bolognesische Mundart vorzuziehen sei, so stimmen wir ihnen nicht bei und weichen ab; denn ihre Mundart ist nicht die, welche wir die höfische und die edle nennen; denn, wenn das der Fall gewesen wäre, so würden Massimo Guido Guinicelli, Guido Ghisliero, Fabricio und Onesto, und andre Dichter Bolognas niemals von der ersten Sprechart abgewichen sein, sie, welche edle Gelehrte und voll Kenntniß der Volkssprachen waren.

Massimo Guido
> Madonna il fermo core.

Fabricio
> Lo mio lontano gire.

Onesto
> Più non attendo il tuo soccorso, Amore —

welche Worte von denen der niederen Bolognesen ganz verschieden sind. Da wir nun glauben, daß wegen der übrigen Sprachen in den äußersten Städten Italiens Niemand einen Zweifel hege, und, wenn Jemand zweifelt, wir ihn nicht unsrer Antwort würdigen, so bleibt in dieser Untersuchung wenig zu sagen übrig; daher das Sieb niederzulegen wünschend, um schnell das Zurückgebliebene zu betrachten, sagen wir, daß die Städte Trient und Turin, sowie Alessandria den Grenzen Italiens so nahe sind, daß sie keine reine Mundart haben können,

Dante, Prosaische Schriften. II.　　　　　6

sodaß, wenn sie, wie sie die abscheulichste Volkssprache haben, die schönste hätten, wir läugnen würden, daß sie wegen der Vermischung mit andern eine wahrhaft lateinische sei. Daher, wenn wir der edlen lateinischen nachjagen, so kann diejenige, welche wir suchen, bei ihnen nicht gefunden werden.

## Sechszehntes Kapitel.

### Daß in jeder Mundart etwas Schönes sei, und in keiner alles Schöne.

Nachdem wir die Waldrücken und Weiden Italiens durchjagt und den Panther, welchen wir suchen, nicht gefunden haben, wollen wir, um ihn finden zu können, vernünftiger ihm nachspüren, sodaß wir mit scharfsinnigem Eifer ihn, den man allenthalben spürt und der sich doch nicht blicken läßt, völlig in unsre Netze einfangen. Indem wir also wieder zu unsern Jagdspießen greifen, sagen wir, daß in jeder Art von Dingen eins sein muß, womit Alles von dieser Art verglichen und gewogen werden kann; und davon wollen wir das Maß für alle nehmen, sowie beim Zählen Alles nach der Zahl Eins gemessen und mehr oder weniger genannt wird, je nachdem es von der Eins sich entfernt oder ihr sich nähert. Und so wird bei den Farben jede nach der weißen gemessen, und sie werden mehr oder weniger sichtbar genannt, je nachdem sie ihr nahe oder fern sind. Und wie wir von Dem, was eine Vielheit oder Beschaffenheit zeigt, sprechen, so glauben wir auch, daß von jeder Aussage und von dem Wesen gesprochen werden könne, nämlich daß jedes meßbar sei nach demjenigen, was in jener Art das einfachste ist. Daher muß sich in unsern Thätigkeiten, soweit sie in Arten getheilt werden, dieses Kennzeichen finden, wodurch sie selbst zu messen sind; denn in so weit wir einfach als Menschen handeln, haben wir eine Kraft, um im Allgemeinen jene einzusehen, denn ihr zufolge halten wir einen Menschen für gut und schlecht; sofern wir als Bürger handeln, haben wir das Gesetz, nach welchem jemand ein guter und ein schlechter Bürger genannt wird; sofern wir als Lateiner handeln, haben wir einige einfache Zeichen, sowohl der Sitten als der Gewohnheiten und der Sprache, nach welchen wir die lateinischen Handlungen wägen und messen. Die edelsten Handlungen sind diejenigen, welche lateinisch sind, und diese gehören keiner einzelnen Stadt Italiens, sondern sind allen gemein: unter welchen nunmehr die Volkssprache unterschieden werden kann, welcher wir oben nachjagten, weil sie in jeder Stadt zu spüren ist und in keiner Wohnung macht. Sie kann jedoch mehr in der einen als in der andern zu spüren sein, wie dies einfachste der Wesen, welches Gott ist, welcher mehr im Menschen zu spüren ist als im Thiere, im Thiere mehr als in der Pflanze, in dieser mehr als im Erz, in diesem mehr als im Himmel, im Feuer mehr als in der Erde. Und die einfachste Größe, welche die Eins ist, zeigt sich mehr in der ungleichen Zahl als in der gleichen; und die einfachste Farbe, welche die weiße ist, zeigt sich mehr in der Citronenfarbe als in der grünen. Nachdem wir so erlangt haben, was wir suchten, sagen wir, daß die erlauchte, Angel-, Hof-, und Rechtssprache des Volks in Latium sei, welche allen lateinischen Städten zukommt, und keiner einzelnen zuzukommen scheint, und nach welcher alle Volkssprachen der Städte gemessen, gewogen und verglichen werden.

6 *

# Siebzehntes Kapitel.

Warum diese Mundart die erlauchte genannt wird; auch wird
Cino von Pistoja erwähnt.

Warum wir aber diese Mundart, welche wir gefunden
haben die erlauchte, Angel=, Hof=, und Rechtssprache
benennen wollen, ist jetzt auseinanderzusetzen, wodurch
wir Das, was sie selbst ist, deutlicher erklären werden.
Zuerst wollen wir denn beleuchten, was wir damit mei=
nen, wenn wir sie erlaucht betiteln, und warum wir sie
so nennen. Durch Alles, was wir erlaucht nennen, ver=
stehen wir Etwas, das erleuchtend und erleuchtet vorglänzt.
Auf diese Weise nennen wir Männer erlaucht, theils
weil sie durch Macht stralend Andre durch Gerechtigkeit
und Menschenliebe erleuchten, theils weil sie als treffliche
Obrigkeiten trefflich walten wie Seneka und Numa
Pompilius. Und die Volkssprache, von welcher wir sprechen,
ist theils erhöht durch Obrigkeit und Macht, theils erhöht
sie die Ihrigen durch Ehre und Ruhm. Durch Obrigkeit
scheint sie nämlich erhöht, weil wir sehen, daß sie aus
so vielen rohen lateinischen Worten, aus so vielen ver=
wirrten Wortfügungen, aus so vielen mangelhaften Aus=
sprachen, aus so vielen bäurischen Betonungen, als eine
so ausgezeichnete, so entwirrte, so vollkommne und so
gebildete erwählt ist, wie Cino von Pistoja und dessen
Freund in ihren Kanzonen zeigen. Daß sie aber durch
Macht erhoben sei, ist deutlich; und was hat größere
Macht, als sie, die menschliche Herzen bewegen kann?
sodaß sie den Nichtwollenden wollend und den Wollen=
den nichtwollend macht, wie sie es gethan hat und thut.
Daß sie aber mit Ehre erhebt, ist leicht zu sehen. Ueber=
winden nicht ihre Hausgenossen Könige, Markgrafen und
Grafen und alle Magnaten an Ruhm? Das bedarf wahr=

lich des Beweiſes nicht. Wie ſehr ſie aber ihre Freunde
berühmt mache, wiſſen wir ſelbſt, die wir durch die
Süßigkeit dieſes Ruhms unſre Verbannung mildern; daher dürfen wir ſie mit Recht erlaucht nennen.

---

## Achtzehntes Kapitel.

### Warum dieſe Mundart Angel =, Hof = und Rechtsſprache genannt werde.

Nicht ohne Grund ſchmücken wir dieſe erlauchte Volksſprache mit dem zweiten Namen, ſodaß wir ſie Angel-
ſprache nennen; denn wie die ganze Thür der Angel
folgt, und wie die Angel ſich dreht, ſich ſelbſt dreht,
möge ſie nach innen oder nach außen ſich wenden: ſo
wendet ſich auch die ganze Schaar der ſtädtiſchen Volks-
ſprachen vorwärts und rückwärts, bewegt ſich und hält
inne nach ihrem Beiſpiel, ſodaß ſie wahrhaft die Mutter der Familie zu ſein ſcheint. Rottet ſie nicht täglich
die dornigen Geſtrüppe aus dem italiſchen Walde? Setzt
ſie nicht täglich Pflanzen ein oder bepflanzt die Pflan-
zungen? Was beginnen Anderes die Ackersleute, als
daß ſie hinzuthun und wegnehmen, wie geſagt iſt? weshalb ſie durchaus verdient, mit ſolchem Namen geſchmückt
zu werden. Daß wir ſie aber Hofſprache nennen, davon
iſt dies die Urſache, daß, wenn wir Italer einen Hof
hätten, ſie die Sprache des Palaſtes ſein würde: denn
wenn der Hof das gemeinſchaftliche Haus des ganzen
Reichs iſt und der hochheilige Verwalter aller Theile des
Reichs, ſo iſt es angemeſſen, daß Alles, was von der
Art iſt, daß es Allen gemein iſt, und keinem Einzelnen,
in ihm zu verkehren und zu wohnen; und keine andre
Wohnung iſt eines ſolchen Wohners würdig. Eine ſolche
aber ſcheint wahrhaft die Volksſprache zu ſein, von wel-

cher wir reden, und daher kommt es, daß Diejenigen, welche in allen königlichen Häusern verkehren, immer die erlauchte Volkssprache sprechen. Daher kommt es auch, daß unsre erlauchte wie eine Fremde pilgert, und in niedrigen Freistätten herbergt, da wir eines Hofes ermangeln. Sie ist auch nach Verdienst Rechtssprache zu nennen, denn das Rechtswesen ist nichts Anderes als die erwogene Regel alles Dessen, was zu thun ist; und weil die Wage für solche Wägung nur in den vornehmsten Rechtshöfen zu sein pflegt, so kommt es daher, daß Alles, was in unsern Handlungen wohl erwogen ist, rechtlich genannt wird. Da sie nun an dem vornehmsten Rechtshofe der Italer erwogen ist, verdient sie Rechtssprache genannt zu werden. Aber zu sagen, daß sie an dem vornehmsten Rechtshofe der Italer erwogen sei, scheint Geschwätz, da wir eines Rechtshofes ermangeln: worauf leichtlich geantwortet wird; denn wenn gleich ein Rechtshof (wenn ein einzelner angenommen wird, wie der Rechtshof des Königs von Alemannien) in Italien nicht ist, fehlt doch das Glied desselben nicht, und wie die Glieder desselben durch einen Fürsten vereinigt werden, so sind deren Glieder durch das holde Licht der Vernunft vereinigt; weshalb es falsch wäre, zu sagen, daß die Italer des Rechtshofes ermangeln obgleich sie des Fürsten ermangeln, insofern wir einen Rechtshof haben, ob er gleich körperlich zerstreut ist.

---

## Neunzehntes Kapitel.

### Daß die italischen Mundarten auf eine zurückgeführt werden, und daß diese die lateinische genannt wird.

Diese Volkssprache aber, welche als erlaucht, als Angel-, Hof- und Rechtssprache dargestellt ist, sagen wir, sei diejenige, welche lateinische Volkssprache genannt wird. Denn wie man eine Volkssprache finden kann, welche Cremona eigenthümlich ist, so ist eine zu finden, welche der Lombardei eigenthümlich ist, und wie eine zu finden ist, welche der Lombardei eigenthümlich ist, so ist eine zu finden, welche dem ganzen linken Italien eigenthümlich ist, und wie diese alle zu finden sind, so ist auch eine zu finden, welche ganz Italien gehört, und wie die eine die cre= monesische, die andre die lombardische, die dritte die des halben Latiums heißt, so heißt die, welche ganz Italien gehört, die lateinische Volkssprache. Denn ihrer haben sich bedient die erlauchten Lehrer, welche in der Volks= sprache gedichtet haben, zum Beispiel Männer aus Si= cilien, Apulien, aus der Romagna, aus der Lombardei und aus den beiden Marken. Und weil unsre Absicht ist, wie wir im Anfang dieses Werks versprochen haben, eine Anweisung über die Beredsamkeit in der Volkssprache zu geben, werden wir, von ihr selbst als der trefflichsten ausgehend, die Männer, welche wir würdig halten sich derselben zu bedienen, und warum und wie, desgleichen wo, wann und an welche sie zu richten sei, abhandeln, und nach dessen Erklärung die niederern Volkssprachen zu erklären bemüht sein, stufenweise hinabsteigend bis zu der, welche einer einzigen Familie eigenthümlich ist.

# Zweites Buch.

---

## Erstes Kapitel.

Wem es zukomme, sich der gebildeten und geschmückten Volks=
sprache zu bedienen, und wem es nicht zukomme.

Zum zweitenmal die Hurtigkeit unserer Fähigkeit dar-
bietend und zum Halme des Fruchtwerkes zurückkehrend,
bezeugen wir vor Allem, daß es sich gezieme, die erlauchte lateinische Volkssprache sowol prosaisch als metrisch
anzuwenden. Aber weil sie die Prosaiker mehr von den
Dichtern empfangen, und weil Das, was gedichtet ist,
den Prosaikern als festes Muster verbleibt, und nicht
im Gegentheil, weil Einiges den Vorrang zu geben
scheint, daher wollen wir sie, derzufolge welche metrisch
ist, als Dichtersprache nehmen und nach jener Ordnung
abhandeln, die wir am Ende des ersten Buches kund
gegeben haben. Wir wollen demnach zuerst untersuchen,
ob Diejenigen, welche Verse für das Volk machen, sich
derselben bedienen dürfen, und schon oberflächlich scheint
es, daß dies so sei, weil Jeder, welcher Verse macht,
seine Verse schmücken muß, so viel er kann. Da nun
nichts so großen Schmuck hat wie die erlauchte Volkssprache, scheint es, daß jeder Verskünstler sich derselben

bedienen müſſe. Ueberdies Dasjenige, was in ſeiner Art das Beſte iſt, ſcheint, wenn es mit dem Niedrigeren vermiſcht wird, nicht nur nichts ihm zu entziehen, ſondern es zu verbeſſern. Wenn daher ein Verſemacher, wiewol er rauhe Verſe macht, ſie ſeiner Rauhheit beimiſcht, ſo wird er nicht nur ſeiner Rauhheit eine Wohlthat erzeigen, ſondern es ſcheint, daß er dies auch thun müſſe. Viel mehr bedürfen aber Diejenigen der Hülfe, welche wenig, als Die, welche viel vermögen; und ſo iſt es klar, daß es allen Versmachern erlaubt iſt, ſich derſelben zu bedienen. Aber dies iſt ganz falſch, weil die beſten Verskünſtler ſie nicht immer anziehen dürfen, wie aus dem unten Folgenden wird erwogen werden können. Sie fordert demnach Männer, die ihr ähnlich ſind, wie andere unſerer Sitten und Gewohnheiten; denn die hohe Freigebigkeit erfordert Mächtige, der Purpur Edle; ſo fordert auch ſie Männer, die ſich durch Fähigkeit und Wiſſenſchaft auszeichnen, und Andere verſchmäht ſie, wie aus dem unten Folgenden ſich ergeben wird; denn Alles, was uns zukommt, kommt uns zu vermöge des Geſchlechtes oder der Art oder des Einzelweſens, wie empfinden, lachen, Waffen führen; ſie aber kommt uns nicht zu vermöge des Geſchlechtes, weil ſie auch den Thieren zukommen würde, auch nicht vermöge der Art, weil ſie den geſammten Menſchen zukäme, worüber kein Zweifel ſein kann; denn Niemand würde ſagen, daß ſie den Bergbewohnern zukomme. Aber die beſten Vorſtellungen können nur da ſein, wo Wiſſenſchaft und Geiſtesfähigkeit iſt; deshalb kommt die beſte Sprache nicht Denen zu, welche Bäuriſches treiben. Sie kommt deswegen zu wegen der Perſon, aber der Perſon kommt nichts zu als wegen eigenthümlicher Würdigkeiten, zum Beiſpiel Handel treiben, Waffen führen und regieren; wenn daher die zukommenden Dinge Bezug haben auf die Würdigkeiten, das heißt, auf die Würdigen (und Einige können würdig, Einige würdiger, Einige am würdigſten ſein), ſo leuchtet

6**

ein, daß das Gute den Würdigen, das Bessere den Würdigeren, das Beste den Würdigsten zukommt. Und da die Sprache auf keine andere Art ein nothwendiges Werkzeug für unsere Vorstellung ist als das Pferd für den Krieger, und den besten Kriegern die besten Pferde zukommen, so wird den besten Vorstellungen, wie gesagt ist, die beste Sprache zukommen; aber die besten Vorstellungen können nur die sein, wo Wissenschaft und Fähigkeit ist; also kommt die beste Sprache nur Denen zu, welche Fähigkeit uud Wissenschaft besitzen; und so kommt nicht allen Versemachern die beste Sprache zu, da Viele ohne Wissenschaft und Fähigkeit Verse machen, und folglich auch nicht die erlauchte Volkssprache. Daher, wenn sie nicht Allen zukommt, dürfen sich nicht Alle derselben bedienen, weil Keiner ungeziemend handeln darf. Und wenn gesagt wird, daß Jeder seine Verse schmücken muß, so viel er kann, so bezeugen wir, daß dies wahr sei; aber wir werden weder einen gesattelten Ochsen noch ein gegürtetes Schwein geschmückt nennen, vielmehr es als verhäßlicht verlachen; denn Schmuck heißt Zusatz von etwas Geziemendem. Wenn nun gesagt wird, daß Höheres, dem Niederen zugemischt, einen Gewinn herbeiführe, so sagen wir, daß dies wahr ist, sofern keine Sonderung stattfindet, zum Beispiel, wenn wir Gold mit Silber verschmelzen; aber wenn eine Sonderung bleibt, so verliert das Niedere, zum Beispiel, wenn schöne Frauen zu häßlichen hinzukommen. Wenn daher die Meinung der Versemacher, vermischt mit den Worten, immer gesondert bleibt, so wird sie, sofern sie nicht sehr gut ist, vereinigt mit der besten Volkssprache, nicht besser, sondern schlechter erscheinen, wie eine häßliche Frau, wenn sie sich in Gold und Seide kleidet.

# Zweites Kapitel.

In welchem Stoffe sich die geschmückte Volksberedsamkeit
gezieme.

Nachdem wir gezeigt haben, daß nicht alle Versemacher,
sondern nur die ausgezeichnetsten, sich der erlauchten
Volkssprache bedienen dürfen, folgt nun zu zeigen, ob
Alles darin zu behandeln sei oder nicht; und wenn nicht
Alles, zu zeigen, was derselben gesonderterweise würdig
sei. Hiebei ist zuerst ausfündig zu machen, was wir
darunter verstehen, wenn wir sagen, daß diejenige Sache
würdig sei, welche Würdigkeit hat, sowie Das edel ist,
was Adel hat, und so, wenn man das Gewöhnende erkannt hat, erkennt man das Gewohnte, soweit es dessen
ist; daher, wenn wir die Würdigkeit erkannt haben,
werden wir auch das Würdige erkennen. Nun ist Würdigkeit der Verdienste Wirkung oder Ziel; wie wenn sich
Jemand gut verdient gemacht hat, so sagen wir, daß er
zur Würdigkeit des Guten gekommen sei; wenn aber
übel, zur Würdigkeit des Uebeln, nämlich Einer, der
gut gekämpft hat, zur Würdigkeit des Sieges; Einer,
der wohl regiert hat, zur Würdigkeit der Regierung; eben
so der Lügenhafte zur Würdigkeit der Scham, und der
Räuber zur Würdigkeit des Todes. Aber da bei den
Wohlverdienten Vergleichungen stattfinden, sowie in andern
Dingen, sodaß Einige wohl, Einige besser, Einige am
besten, Einige schlecht, Einige schlechter, Einige am schlechtesten sich verdient machen, und dergleichen Vergleichungen
nicht stattfinden als mit Hinsicht auf das Ziel der Verdienste, welches wir Würdigkeit nennen, wie gesagt ist,
so ist offenbar, daß die Würdigkeiten unter sich verglichen
werden nach dem mehr oder weniger, sodaß einige groß,
einige größer, einige am größten sind, und folglich ein

anderes würdig, ein anderes würdiger, ein anderes am würdigsten ist. Und da die Vergleichung der Würdigkeiten nicht denselben Gegenstand betrifft, sondern verschiedene, sodaß wir Den würdiger nennen, der größerer, und am würdigsten, der der größten Dinge würdig ist, weil nichts einer und derselben Sache würdig sein kann; so ist offenbar, daß die besten Dinge nach Erforderniß der Dinge der Besten würdig sind. Daher wenn die Sprache, welche wir die erlauchte nennen, die beste von allen Volkssprachen ist, so folgt, daß nur die besten Dinge würdig sind, in derselben behandelt zu werden, welche wir der Behandlung am würdigsten nennen. Welche nun diese sind, wollen wir jetzt nachforschen. Um dieselben ins Licht zu setzen, muß man wissen, daß, wie der Mensch ein dreifaches Leben hat, nämlich das Pflanzen=, Thier- und Vernunftleben, er eine dreifache Bahn wandelt. Denn dem Pflanzenleben zufolge sucht er das Nützliche, was er mit den Pflanzen theilt; dem Thierleben nach das Angenehme, was er mit den vernunftlosen Thieren theilt; dem Vernunftleben nach sucht er das Ehrenvolle, was er allein hat oder mit der Engelsnatur theilt. Auf diese dreifache Art scheinen wir zu thun, was wir thun, und weil in jeder von diesen dreien Einiges größer, Einiges am größten ist, scheint hienach Das, was das größte ist, am meisten behandelt werden zu müssen, und folglich in der bedeutendsten Volkssprache. Aber es ist zu untersuchen, was das Größte ist, und zwar zuerst in Dem, was nützlich ist, und wenn wir hiebei scharfsinnig die Absicht aller Derjenigen erwägen, welche den Nutzen suchen, werden wir nichts Anderes finden als das Wohlergehen; zum zweiten in Dem, was angenehm ist, wo wir sagen, daß Dasjenige am angenehmsten ist, was uns als köstlichster Gegenstand der Begehrung erfreut: dies ist aber die Liebe; zum dritten in Dem, was ehrenvoll ist, wo Niemand zweifelt, daß dies die Tugend sei. Daher scheinen jene drei, nämlich Wohlergehen, Liebe und Tugend, jene großen Stoffe zu sein, welche zu behandeln am würdigsten sind, das heißt, diejenigen, welche in dieser Rücksicht die würdigsten sind, nämlich Tüchtigkeit in den Waffen, Liebesglut und rechter Wille. Diese allein, wenn wir wohl nachfragen, finden wir, daß erlauchte Männer in der Volkssprache besungen haben, nämlich Bertram von Bornio die Waffen, Arnald Daniel die Liebe, Gerhard von Bornello die Rechtschaffenheit; Cino von Pistoja die Liebe; dessen Freund die Rechtschaffenheit.

Bertram nämlich sagt:

Non pos nul dat con cantar no exparia.

Arnald:

Laura amara fal bruol brancum danur.

Gerhard:

Più solaz reveillar, que per trop endormir.

Cino:

Degno son io che mora.

Sein Freund:

Doglia mi reca nella cuore ardire.

Die Waffen aber finde ich, daß kein Italer besungen habe. Nachdem dies eingesehen ist, wird klar werden, was in der erhabensten Volkssprache zu besingen sei.

---

# Drittes Kapitel.

Es unterscheidet, in welchen Weisen die in der Volkssprache Versemachenden dichten.

Jetzt aber wollen wir uns anschicken, sorgsam zu untersuchen, auf welche Weise wir Dasjenige verknüpfen sollen, was einer solchen Volkssprache würdig ist. Indem wir also die Weise angeben wollen, wodurch dies würdig ist,

verknüpft zu werden, sagen wir zuerst, daß wir daran
erinnern müssen, daß die in der Volkssprache Dichtenden
ihre Gedichte auf viele Weise darstellen, Einige in Kanzonen, Einige in Ballaten, Einige in Sonetten, Einige
in anderen gesetzlosen und regellosen Weisen, wie unten
gezeigt werden wird. Von diesen Weise halten wir die
der Kanzone für die trefflichste; daher, wenn das Trefflichste des Trefflichsten würdig ist, wie oben bewiesen ist,
so ist Das, was der trefflichsten Volkssprache, auch der
trefflichsten Weise würdig und daher in Kanzonen zu behandeln, daß aber die Weise der Kanzonen eine solche
sei, wie gesagt ist, kann mit mehreren Gründen erwogen
werden. Der erste ist nun, daß, da alle Verse, die
gemacht werden, Gesang sind, die Kanzonen allein diese
Benennung sich erworben haben, was nie ohne uralte
Voraussicht geschah. Ferner, was an sich Dasjenige bewirkt, wozu es gemacht ist, scheint edler zu sein, als
was des Aeußerlichen bedarf; aber die Kanzonen bewirken
durch sich Alles, was sie sollen, was die Ballaten nicht
thun (denn sie bedürfen der Tonkundigen, für welche sie
gemacht sind): hieraus folgt, daß die Kanzonen für edler
als die Ballaten zu halten sind, und folglich die Weise
der andern an Adel übertreffen, wie denn Niemand zweifeln möchte, daß die Ballaten an Adel der Weise über
den Sonetten stehen. Ueberdies scheinen die Dinge edler
zu sein, welche ihrem Verfertiger mehr Ehre machen;
aber die Kanzonen machen ihren Verfertigern mehr Ehre
als die Ballaten, folglich sind sie edler, und folglich ist
ihre Weise die edelste von allen andern. Ueberdies werden die Dinge, welche die edelsten sind, am liebsten aufbewahrt; aber unter Dem, was gesungen ist, werden die
Kanzonen am liebsten aufbewahrt, wie Denen bekannt
ist, die sich mit Büchern beschäftigen; also sind die Kanzonen die edelsten und folglich ihre Weise die edelste.
Ferner ist unter den Kunstsachen die die edelste, welche
die ganze Kunst begreift; da nun Das, was gesungen

wird, Kunstsache ist, und nur in den Kanzonen die ganze Kunst inbegriffen wird, sind die Kanzonen am edelsten, und so ist ihre Weise die edelste von allen. Daß aber die ganze Kunst des poetischen Gesanges in den Kanzonen zusammengefaßt wird, ergibt sich daraus, daß Alles, was sich an Kunst findet, in ihnen ist, aber nicht umgekehrt. Dies Merkzeichen aber Dessen, was wir sagen, liegt klar vor Augen; denn was aus den Kuppen der erlauchten Dichterhäupter auf ihre Lippen hervorströmte, wird blos in den Kanzonen gefunden. Deswegen erhellt für das Vorhaben, daß Dasjenige, was der erhabensten Volkssprache würdig ist, in Kanzonen behandelt werden muß.

---

## Viertes Kapitel.

Von der Weise der Kanzonen und von der Schreibart Derjenigen, welche Gedichte machen.

Nachdem wir entwirrend bewiesen haben, wer die der Hofvolkssprache Würdigen sind und welche Gegenstände, desgleichen welche Weise wir so großer Ehre würdig halten, daß sie allein der erhabensten Volkssprache zukomme, wollen wir, ehe wir zu Anderem gehen, die Weise der Kanzonen, welche Viele mehr durch Zufall als mit Kunst zu gebrauchen scheinen, uns enthüllen, und, die bisher nur zufällig angenommen ist, die Werkstätte jener Kunst entriegeln, die Weise der Ballaten und Sonette übergehend, weil wir diese zu erklären denken im vierten Theile dieses Werkes, wenn wir von der mittleren Volkssprache handeln werden. Indem wir also zurückblicken auf Das, was gesagt ist, erinnern wir uns, Diejenigen, welche in der Volkssprache Verse machen, mehrmals Dichter genannt zu haben, was wir ohne Zweifel

mit Grund herauszustoßen uns vorgenommen haben, weil
sie allerdings Dichter sind, wenn wir die Dichtkunst recht
betrachten, welche nichts Anderes ist, als eine rednerische
Dichtung in Töne gesetzt. Sie unterscheiden sich jedoch
von den großen Dichtern, das heißt, den geregelten[1],
weil diese in langer Rede und regelmäßiger Kunst gedichtet haben, jene aber zufällig, wie gesagt ist. Daher
kommt es, daß, je näher jenen unser Nachahmung kommt,
wir um so richtiger dichten. Daher müssen wir, etwas
Gelehrsamkeit auf unser Werk verwendend, ihren poetischen Lehren nacheifern. Vor Allem demnach sagen wir,
daß ein Jeder ein gemäßes Gewicht von Stoff auf seine
Schultern nehmen müsse, damit nicht etwa die zu sehr
beschwerte Kraft der Schultern in den Schmutz nieder-
gezogen werde. Dies ist es, was unser Meister Horatius
empfiehlt, wenn er im Anfang der Poetik sagt:

Wählt die Materie wohl, die gleich sei eueren Kräften,
Schreibende.

Sodann müssen wir bei den Dingen, welche zu sagen
vorkommen, Sonderung anwenden, ob sie tragisch oder
komisch oder elegisch zu singen sind. Für die Tragödie
nehmen wir die höhere Schreibart an, für die Komödie
die niedere; unter Elegie verstehen wir die Schreibart
der Unglücklichen. Wenn tragisch etwas zu singen scheint,
muß man die erlauchte Volkssprache anwenden und folglich eine Kanzone verfassen. Wenn aber komisch, dann
werde bisweilen die mittlere, bisweilen die niedere Volkssprache genommen, und die Sonderung derselben schieben
wir auf im vierten Buche dieses Werkes zu zeigen.
Wenn aber elegisch, müssen wir blos die niedere
nehmen. Aber übergehen wir die andern und behandeln
wir jetzt, wie es gemäß ist, blos die tragische Schreibart.

---

[1] Unter geregelten Dichtern sind die griechischen und
lateinischen zu verstehen.

Der tragischen Schreibart scheinen wir uns aber dann zu bedienen, wenn mit dem Ernste des Inhaltes sowol die Hoheit der Verse als die Erhabenheit der Verbindung und die Trefflichkeit der Ausdrücke sich verbindet. Aber weil, wenn wir uns wohl erinnern, schon bewiesen ist, daß das Höchste des Höchsten würdig sei, und jede Schreibart, welche wir die tragische nennen, die höchste der Schreibarten zu sein scheint, so sind diejenigen Dinge, welche wir als am höchsten des Gesanges würdige bezeichnet haben, nur in dieser Schreibart zu singen, nämlich Wohlergehen, Liebe und Tugend, und Dasjenige, was wir in dieser Rücksicht erfaßt haben, insofern es durch nichts Zufälliges herabgesetzt wird. Möge sich also Jeder in Acht nehmen und Dasjenige unterscheiden, was wir sagen, und wenn er diese drei Dinge rein zu singen beabsichtigt, oder Dasjenige, was hierauf bezüglich grade und rein verfolgt, so möge er nach einem Trunk aus dem Helikon und nachdem er die Saiten stimmte, beherzt das Plektrum ergreifen und nach Sitte beginnen. Aber eine Kanzone, und diese Sonderung, wie sie geziemt, zu machen, das ist die Arbeit, das ist die Mühe, weil es nimmer ohne Anstrengung der Fähigkeit und ohne Emsigkeit in der Kunst und ohne Fertigkeit der Kenntniß geschehen kann. Und das sind Diejenigen, welche der Dichter im sechsten Buch der Aeneis die Lieblinge der Gottheit und durch feurige Kraft zum Aether Erhobene und Göttersöhne nennt, obgleich er bildlich spricht. Und daher erkenne sich die Thorheit Derjenigen, welche, von Kunst und Wissenschaft entblößt, blos auf ihre Fähigkeit vertrauend, das Höchste auf die höchste Art zu singen hervorstürzen, und mögen sie von solchem Dünkel abstehen, und wenn sie aus natürlicher Trägheit Gänse sind, nicht dem gestirnanstrebenden Adler nachahmen.

# Fünftes Kapitel.

Von der Abfassung der Verse und deren Mannichfaltigkeit
vermöge der Sylben.

Von der Wichtigkeit des Inhaltes glauben wir entweder
hinlänglich gesprochen zu haben, oder doch Alles, was für
unser Werk erforderlich ist. Daher eilen wir zur Hoheit
der Verse, wobei zu wissen ist, daß unsere Vorgänger sich
verschiedener Versarten bedient haben in ihren Kanzonen,
was auch die Neuern thun; aber wir finden, daß Keiner
bis jetzt die elfsylbige Zahl überschritten habe, noch unter
die dreisylbige hinabgestiegen sei. Und wenn gleich des
dreisylbigen Verses und des elfsylbigen und aller dazwi-
schen liegenden die lateinischen Dichter sich bedient haben,
so wird doch der siebensylbige und elfsylbige mehr gebraucht, und nach diesen der dreisylbige vorzüglich; von
welchen allen der elfsylbige der stolzeste zu sein scheint,
sowol wegen der Zeitdauer als wegen des Umfanges für
den Sinn, die Verbindung und die Wörter, von welchen
allen die Darlegung sich mehr in jenem vervielfacht, wie
offenbar einleuchtet; denn wo immer die gewichtigen
Dinge sich vermehren, da auch das Gewicht. Und dies
scheinen alle Lehrer erwogen zu haben, indem sie ihre
Kanzonen mit jenem anheben, wie Gerhard von Bornello:

Ara ausirem encabalitz cantarz.

Dieser Vers ist, wenn er gleich zehnsilbig scheint, der
Wahrheit gemäß elfsylbig, denn die beiden letzten Consonanten
gehören nicht zur vorhergehenden Sylbe. Und wenn sie
gleich keinen eigenen Vokal haben, verlieren sie die Kraft
der Sylbe doch nicht. Das Zeichen aber ist, daß der
Rhythmus daselbst durch Einen Vokal vollendet wird,
was nicht sein könnte, wenn nicht durch die Kraft eines
darunter verstandenen zweiten.

Der König von Navarra:

> De fin Amor si vient sen et bontè,

wo es sich zeigen wird, daß, wenn der Accent und dessen Ursache erwogen wird, der Vers elfsylbig sei.

Guido Guinizelli:

> Al cuor gentil ripara sempre Amore.

Der Richter di Colonna von Messina:

> Amor, che longiamente m'hai menato.

Rinaldo von Aquino:

> Per fin Amore vo si lietamente.

Cino von Pistoja:

> Non spero che giammai per mia salute.

Dessen Freund:

> Amor, che muovi tua virtù dal cielo.

Und wenn gleich dieser elfsylbige Vers, wie er es werth ist, der berühmteste von allen zu sein scheint, so scheint er doch, wenn er mit dem siebensylbigen in ein gewisses Bündniß tritt, sofern er nur den Vorrang behauptet, noch herrlicher und höher sich zu erheben; aber dies mag weiterhin zur Erklärung verbleiben. Und wir sagen, daß der siebensylbige auf den folge, welcher der gebräuchlichste ist. Nach ihm ordnen wir den fünfsylbigen und endlich den dreisylbigen. Der neunsylbige aber, weil er der dreifache dreisylbige schien, war entweder nie in Ehren oder kam wegen Verachtung außer Gebrauch: die gleichsylbigen aber wenden wir nicht an wegen ihrer Rauhigkeit oder doch selten; denn sie behalten die Natur ihrer Zahlen, welche den ungleichen Zahlen, wie der Stoff der Form, nachstehen. Und so scheint denn, das Vorhergesagte zusammengefaßt, der elfsylbige Vers der stolzeste zu sein, und dies ist es, was wir suchten. Nun bleibt uns aber übrig, die erhabenen Volksverbindungen zu untersuchen und die gipfligen Worte, und dann erst, wenn Stäbe und Seile bereit liegen, werden wir Anweisung geben, wie das verheißene Gebund, das heißt, die Kanzone, geknüpft werden müsse.

---

# Sechstes Kapitel.

Von der Satzverbindung oder von der regelmäßigen Ver-
knüpfung der Wörter, deren man sich in den Kanzonen
zu bedienen hat.

Da unsere Absicht bei der erlauchten Volkssprache ver-
weilt, welche die edelste von allen ist, und wir Das
ausgewählt haben, was würdig ist in ihr besungen zu
werden, nämlich drei höchst edle Stoffe, wie oben bei-
gebracht ist, und wir die Kanzonenweise für jene ausgewählt haben als die höchste von allen Weisen, und um
diese vollkommener lehren zu können, Einiges schon vor-
bereitet haben, nämlich Schreibart und Vers: so wollen
wir jetzt von der Konstruction handeln. Nun ist zu
wissen, daß wir Konstruction nennen eine geregelte Verbindung der Wörter, wie: Aristoteles philosophirte zur
Zeit Alexander's. Denn hier sind fünf Wörter durch eine
Regel verbunden und machen einen Satz. Hier ist nun
zuvörderst zu bemerken, daß eine Satzverbindung gemäß,
eine andere aber ungemäß ist; und weil, wenn wir des
Anfanges unserer Abschweifung wohl eingedenk sind, wir
nur dem Höchsten nachjagen, so findet die ungemäße bei
unserer Jagd keinen Platz, weil sie einen unteren Grad
des Werthes einnimmt. Mögen sich also schämen, schämen die Unwissenden, es nur sofort zu wagen und auf
Kanzonen loszustürmen, welche wir nicht anders verlachen
als den Blinden, der über Farben urtheilt. Die gemäße
ist es, wie es scheint, welche wir suchen; aber nicht ge-
ringere Schwierigkeit macht die Unterscheidung, ehe wir

die, welche wir suchen, erreichen, nämlich die feinste. Denn es gibt mehrere Stufen der Satzverbindungen, nämlich die geschmacklose, welche für gröbere Leute ist, wie: Petrus liebt die Frau Berta sehr. Es gibt eine geschmackvolle, welche die der strengeren Schüler oder der Lehrer ist, wie: Mich verdrießen Alle; aber größeres Mitleid habe ich mit allen Denen, welche, in der Verbannung verschmachtend, das Vaterland nur im Traum wiedersehen. Es gibt auch eine geschmackvolle und anmuthige, welche Derer ist, die die Rhetorik von oben abschöpfen, wie: Die löbliche Besonnenheit des Markgrafen von Este, und seine vorbereitete Prachtliebe machen ihn bei Allen beliebt. Es gibt auch eine geschmackvolle und anmuthige, ja und erhabene, welche der erlauchten Dictatoren ist, wie: Nach Hinauswerfung des größten Theils der Blumen aus deinem Schoße, Florentia, ging Totila spät vergebens nach Trinakrien. Diese Stufe der Konstruction nennen wir die trefflichste, und diese ist es, welche wir suchen, wenn wir dem Höchsten nachjagen, wie gesagt ist. Aus dieser allein findet man die erlauchten Kanzonen gefügt, wie:

Gerhard:
> Si per mes sobretes non fes.

Der König von Navarra:
> Redamor que in mon cor repaire.

Folchetto aus Marseille:
> Tan m'abellis l'amoros pensamen.

Arnaldo Daniello:
> Solvi, che sai, lo sobraffan che sorz.

Amerigo de Belimi:
> Nuls bon non pot complir adrectamen.

Amerigo de Peculiano:
> Si com' l'arbres che per sombre carcar.

Guido Guinicelli:
> Tegno di folle impresa allo ver dire.

Guido Cavalcanti:

> Poi che di doglia cuor convien ch'io porti.

Cino von Piftoja:

> Avegna ch'io maggia più per tempo.

Deſſen Freund:

> Amor, che nella mente mi ragiona.

Wundere dich nicht, Leſer, über ſo viele ins Gedächt=
niß zurückgerufene Verfaſſer. Denn wir können die
Konſtruction, welche wir die höchſte nannten, nicht anders
als durch Beiſpiele dieſer Art anzeigen. Und vielleicht
würde es nützlich ſein, um uns an dieſe zu gewöhnen,
die regelmäßigen Dichter nachzuſehen, nämlich den Virgil,
den Ovid in den Metamorphoſen, den Statius und Lukan,
ſowie Andere, welche ſich der höchſten Proſa bedienten,
wie Tullius, Livius, Plinius, Frontinus, Paulus Oro=
ſius, und viele Andere, welche die befreundete Einſamkeit
uns zu beſuchen einladet. Mögen deswegen die Anhänger der Unwiſſenheit ablaſſen, den Guido von Arezzo
und einige Andere zu erheben, welche ſich nie entwöhnten
in Worten und Satzverbindung ſich dem Pöbel gleich-
zuſtellen.

---

# Siebentes Kapitel.

### Welche Wörter zu gebrauchen ſind, und welche im Versmaß der Volksſprache nicht vorkommen dürfen.

Die Wörter, welche würdig ſind, auf großartige Weiſe
in der obgenannten Schreibart zu ſtehen, fordert die
Reihenfolge des Geſchäftes unſers Fortſchrittes zu erklären
auf. Wir bezeugen demnach beginnend, daß es ein nicht
geringes Werk der Vernunft ſei, die Auswahl der Wörter
zu treffen, weil wir ſehen, daß hinſichtlich des Stoffes

derselben dies mehrfach geschehen könne. Denn einige derselben finden wir kindisch, einige weibisch, einige männlich, und von diesen einige wild, einige städtisch, und von denen, welche wir städtisch nennen, einige dicht und schlüpfrig, einige rauh und struppig, unter welchen die vollen und sträubigen diejenigen sind, welche wir großartig nennen, die schlüpfrigen aber und struppigen die nennen, welche überhängig tönen, wie unter den großen Werken einige Werke von Seelenhoheit, andere von Rauch sind, wo, wenn gleich oberflächlich ein gewisses Aufsteigen bemerkt wird, doch, sobald die Grenzlinie der Kraft überschritten ist, mit gutem Grunde nicht ein Aufsteigen, sondern ein Sturz durch tiefe Abhänge sich zeigt. Beachte also, o Leser, wie sehr du um erlesene Worte zu sammeln des Siebes bedarfst; denn wenn du die erlauchte Volkssprache betrachtest, deren sich die Dichter der Volkssprache tragisch bedienen müssen, wie oben gesagt ist, welche wir zu unterweisen beabsichtigen, so wirst du sorgen müssen, daß nur die edelsten Wörter in deinem Siebe zurückbleiben, unter welche du weder kindische wegen ihrer Einfalt, wie Mamma und Babbo, Mate und Pate, noch weibische wegen ihrer Weichheit, wie dolciada und placevole, noch wilde wegen Rauhheit, wie gregia und andere, noch feine, schlüpfrige und struppige, wie femina und corpo, keineswegs wirst aufnehmen dürfen. Denn blos die vollen und sträubigen wirst du unter den städtischen dir verbleiben sehen, welche die edelsten sind und Theile der erlauchten Volkssprache; und voll nennen wir diejenigen, welche dreisylbig sind, oder der Dreisylbigkeit ganz nahe kommen, ohne Hauch, ohne scharfe Betonung oder Circumflex, ohne doppeltes z oder x, ohne Verdoppelung von zwei flüssigen Buchstaben, oder Position, unmittelbar nach dem stummen behauenen, als ob sie den Sprechenden mit gewisser Lieblichkeit zurücklassen, wie Amore, donna, disio, virtute, donare, letizia, salute, securitate, difesa. Sträubig nennen wir ferner alle Wörter außer diesen, welche entweder nöthig oder schmückend zu sein scheinen für die erlauchte Volkssprache. Und zwar nennen wir nothwendig die, welche wir nicht vertauschen dürfen, wie einige Einsylbler, wie si, vo, me, te, se, a, e, i, o, u, die Interjektionen und viele andere. Schmückend aber nennen wir alle Vielsylbler, welche, vermischt mit den vollen Wörtern, eine schöne Harmonie der Verbindung bewirken, wenn sie gleich Rauhheit des Hauches und der Betonung und der doppelten und flüssigen Buchstaben und Weitschweifigkeit haben, wie terra, onore, speranza, gravitate, alleviato, impossibilitate, benavventuratissimo, avventuratissimamente, disavventuratissimamente, sovramagnificentissimamente, welches elfsylbig ist. Man könnte ein Wort von noch mehreren Sylben finden, oder ein Zeitwort, aber weil es den Umfang aller unserer Verse überschreitet, scheint es der gegenwärtigen Betrachtung nicht bequem, wie onorificabilitudinitate, welches zwölf Sylben ausmacht in der Volkssprache und in der Grammatik dreizehn in zwei obliquen. Wie aber die sträubigen dieser Art mit den vollen zu verbinden sind in den Versmaßen, wollen wir der späteren Untersuchung überlassen; und was von der Gipflichkeit der Wörter gesagt ist, mag einem freundlichen Nachdenken genügen.

---

# Achtes Kapitel.

Was eine Kanzone sei, und daß sie in mehreren Weisen sich abändert.

Nachdem die Stäbe und die Seile für das Gebund zurechtgelegt sind, drängt nun die Zeit, das Bündel zu schnüren; aber weil die Kenntniß eines Geschäftes dem

Geschäfte vorangehen muß, gleichwie das Zeichen vor der Absendung des Pfeils oder Wurfspießes, so wollen wir zuerst und hauptsächlich sehen, was jenes Gebund sei, das wir zu binden beabsichtigen. Dies Gebund ist aber, wenn wir alles vorher Erwähnten uns recht erinnern, die Kanzone. Daher laßt uns sehen, was die Kanzone sei, und was wir darunter verstehen, wenn wir Kanzone sagen. Nun ist die Kanzone nach der wahren Bedeutung des Wortes die Handlung des Singens selbst, oder der Zustand, sowie die Lesung Zustand oder Handlung des Lesens ist. Aber erklären wir nun Das, was gesagt ist, ob wir nun hier Kanzone nehmen in dem Sinne der Handlung oder des Zustandes. Hierüber ist zu bemerken, daß Kanzone doppelt genommen werden kann, theils als Etwas, das von seinem Urheber verfertigt wird, und dann ist sie Handlung, und auf diese Weise sagt Virgil im Anfang der Aeneide:

Arma virumque cano;

theils insofern Das, was gefertigt wird, vorgetragen wird, sei es von dem Urheber, sei es von irgend einem Andern, mag es mit einer Gesangsweise vorgetragen werden oder nicht, und so ist es Zustand. Denn dann wird sie bewirkt, jetzt aber scheint sie auf einen Andern zu wirken, und so ist sie dann Jemandes Handlung, jetzt aber scheint sie Zustand zu sein. Und weil sie eher bewirkt wird, als sie wirkt, scheint sie deswegen bei weitem mehr danach benannt zu werden, daß sie bewirkt wird, und Jemandes Handlung ist, als nach Dem, was sie auf Andere wirkt. Ein Zeichen dessen ist aber, daß wir niemals sagen: dies ist die Kanzone des Petrus deswegen, weil er sie vorträgt, sondern deswegen, weil er sie gemacht hat. Ueberdies ist zu bedenken, ob man unter Kanzone versteht die Fertigung der in Harmonie gebrachten Worte, oder die Gesangsweise selbst: worauf wir sagen, daß die Gesangsweise niemals Kanzone genannt wird, sondern Ton, oder Note, oder Melos. Denn

kein Trompeter, kein Orgelspieler, kein Citherspieler nennt
seine Melodie Kanzone, außer insofern sie einer Kanzone
vermält ist; sondern Diejenigen, welche die Worte zusam-
menreihen, nennen ihre Worte Kanzonen; und dergleichen
Worte nennen wir auch Kanzonen, wenn sie sich aufgezeichnet finden ohne einen, der sie vorträgt. Und deshalb
scheint eine Kanzone nichts Anderes zu sein als die vollständige Handlung Dessen, der die für den Gesang ge-
ordneten Worte verfaßt. Daher werden wir sowol die
Kanzonen, welche wir jetzt behandeln, als auch Ballaten
und Sonette und in der Volkssprache und auf geregelte
Weise geordnete Worte jeder Art Kanzonen nennen.
Aber da wir blos Werke in der Volkssprache untersuchen
mit Uebergehung der geregelten, sagen wir, daß eins von
den Gedichten in der Volkssprache das höchste sei, welches
wir vorzugsweise Kanzone nennen, daß aber die Kanzone
etwas Höchstes sei, ist im dritten Kapitel dieses Buches
bewiesen. Aber da Das, was definirt ist, mehreren
gemein scheint, wollen wir dies schon definirte allgemeine
Wort aufnehmen, und blos nach einigen Unterschieden
Das, was wir suchen, unterscheiden. So sagen wir
denn, daß die Kanzone, welche wir vorhaben, sofern wir
sie vorzugsweise so nennen, eine tragische Verbindung
gleicher Stanzen ist ohne Responsorium von Einem Inhalt, wie wir gezeigt haben, wenn wir sagen:

Donne, che avete intelletto di Amore.

Und so erhellt, was Kanzone sei, und wie dies Wort
allgemein genommen wird, und wie wir sie vorzugsweise
nennen; hinlänglich scheint auch zu erhellen, was wir
verstehen, wenn wir Kanzone sagen, und folglich, was
jenes Gebund sei, welches wir zu binden unternahmen.
Was wir aber so nennen, ist eine tragische Verbindung;
denn wenn diese Verbindung auf komische Weise geschieht,
nennen wir sie verringernd Kantilene, wovon wir im
vierten Buche dieses Werkes zu handeln denken.

# Neuntes Kapitel.

Welches die Haupttheile der Kanzone sind, und daß die Stanze der Haupttheil der Kanzone ist.

Weil, wie gesagt ist, die Kanzone eine Verbindung von Stanzen ist, so kann man, wenn man nicht weiß, was Stanze sei, natürlich auch nicht wissen, was Kanzone sei; denn aus der Kenntniß des Definirenden entspringt die Kenntniß des Definirten, und so ist demzufolge von der Stanze zu handeln, daß wir nämlich untersuchen, was sie sei, und was wir darunter verstehen wollen. Es ist demnach zu wissen, daß dies Wort blos rücksichtlich der Kunst erfunden ist, nämlich daß Das, worin die ganze Kunst der Kanzone bestände, Stanze genannt würde, das heißt, eine geräumige Wohnstätte oder Behältniß der ganzen Kunst. Denn gleichwie die Stanze der Schooß des ganzen Inhaltes ist, so trägt die Stanze die ganze Kunst in ihrem Schooß, und es ist den folgenden nicht erlaubt, sich einige Kunst zuzuschreiben, sondern sich blos mit der Kunst der ersten zu bekleiden, woraus hervorgeht, daß sie selbst, von welcher wir sprechen, eine Begrenzung oder eine Vereinigung alles Dessen ist, was die Kanzone von Kunst empfängt; nach welcher Erläuterung die Beschreibung, welche wir suchen, sich ergeben wird. Die ganze Kunst der Kanzone scheint nun in drei Stücken zu bestehen, zuerst in der Eintheilung des Gesanges, sodann in der Beschaffenheit der Theile, und drittens in der Zahl der Verse und der Sylben: des Reims aber erwähnten wir nicht, weil er nicht zur eigenthümlichen Kunst der Kanzone gehört. Denn es ist erlaubt, in jeder Stanze die Reime zu erneuern und sie zu wiederholen nach Gutdünken, was, wenn der Reim zur eigenthümlichen Kunst der Kanzone

**7\***

gehörte, nicht erlaubt sein würde, wie gesagt ist. Wenn es aber nöthig ist, etwas vom Reim zu erwähnen, so wird, was von Kunst daran ist, da vorkommen, wo wir von der Beschaffenheit der Theile sprechen; daher können wir hier aus dem Vorhergehenden schließen und definirend sagen, die Stanze sei eine mit gewissem Gesang und gewisser Beschaffenheit begrenzte Zusammenfügung von Versen und Sylben.

## Zehntes Kapitel.

Was der Gesang der Stanze sei, und daß die Stanze sich in mehreren Weisen verändert in der Kanzone.

Wissend nun, daß der Mensch ein vernünftiges Geschöpf ist, und daß die Seele verständig und der Körper thierisch ist, und nicht wissend, was diese Seele und was dieser Körper sei, können wir eine vollkommene Kenntniß des Menschen nicht haben, weil die vollkommene Kenntniß jeder Sache bis an die letzten Bestandtheile hinreicht, wie der Lehrer der Weisen im Anfange der Physik bezeugt. Um nun die Kenntniß der Kanzone zu erlangen, wonach wir trachten, untersuchen wir kürzlich diejenigen Dinge, welche das sie Definirende definiren, und erforschen zuerst den Gesang, sodann die Beschaffenheit und endlich Verse und Sylben. So sagen wir denn, daß jede Stanze gefügt ist, um eine gewisse Tonweise aufzunehmen; aber in der Art scheint Verschiedenheit stattzufinden, weil einige eine einzige fortlaufende Tonweise haben, bis zu Ende fortschreitend, das heißt, ohne Wiederholung irgend einer Modulation und ohne Theilung, und Theilung nennen wir eine Ausweichung von einer Tonweise in die andere; diese nennen wir Volta, wenn wir mit dem Haufen reden; und einer Stanze von dieſer Art [1] hat ſich Arnaldo Daniello faſt in allen Kanzonen bedient; und wir ſind ihm gefolgt, wenn wir geſagt haben:

Al poco giorno, ed al gran cerchio d'ombra.

Es gibt aber Einige, welche die Theilung zulaſſen, und Theilung kann Dem gemäß, was wir ſo nennen, nicht anders ſtattfinden, als wenn Wiederholung Einer Tonweiſe geſchieht, entweder vor der Theilung oder nachher, oder von beiden Seiten her; wenn vor der Theilung die Wiederholung geſchieht, ſagen wir, daß die Stanze zwei Füße [2] habe, und zwei Füße muß ſie haben, obgleich es bisweilen drei werden, jedoch ſehr ſelten; wenn die Wiederholung nach der Theilung geſchieht, ſo ſagen wir, daß die Stanze Volti [3] habe; wenn vorher die Wiederholung nicht geſchieht, ſo ſagen wir, daß die Stanze eine Stirn habe; wenn ſie nachher nicht geſchieht, ſo ſagen wir, daß ſie eine Sirima habe oder einen Schweif. Siehe nun, Leſer, welche Freiheit Denen gegeben iſt, welche Kanzonen dichten, und betrachte, weshalb der Gebrauch ſich eine ſo weite Willkür genommen habe, und wenn dich das Nachdenken auf rechtem Pfade leitet, ſo wirſt du finden, daß Das, was wir ſagen, blos vermöge der Würde des Anſehens bewilligt ſei. Hieraus kann hinlänglich erhellen, wie die Kunſt der Kanzone in der Theilung des Geſanges beſteht; und deshalb wollen wir zu der Beſchaffenheit fortſchreiten.

---

[1] Das heißt: ohne Wiederholung und ohne Theilung. Die von Dante, welche gleich darauf angeführt iſt, gehört zu den Seſtinen. [2] D. h. Glieder des Gegenſatzes. Siehe Lehrbuch der italiſchen Sprache von Adolf Wagner. S. 269. [3] Ich habe hier mit Wagner Volti geſagt ſtatt Verſe (versus hat der Text), um Verwirrung zu vermeiden, da ich carmen durch Verſe überſetze. Volti drückt gleichfalls die Glieder des Gegenſatzes aus.

# Elftes Kapitel.

Von der Beschaffenheit der Stanze, von der Zahl der Füße und von der Verschiedenheit der Verse, welche in der Dichtung zu gebrauchen sind.

Es scheint uns der Theil, welchen wir Beschaffenheit nennen, der bedeutendste in Rücksicht der Kunst zu sein; denn er betrifft die Eintheilung des Gesanges und das Gewebe der Verse und das Verhältniß der Reime, weswegen dieser der genauesten Behandlung zu bedürfen scheint. Beginnend demnach sagen wir, daß die Stirn mit den Volten und die Füße mit der Sirima oder Schweif, und die Füße mit den Volten in der Stanze sich auf verschiedene Weise verhalten können: denn bisweilen überschreitet die Stirn die Volten an Sylben und Versen, oder kann sie überschreiten, und wir sagen, kann, weil wir diese Beschaffenheit noch nicht gesehen haben, bisweilen kann sie sie an Versen überschreiten und an Sylben übertroffen werden, sodaß, wenn die Stirn fünf Maße[1] hätte, und jede Volte zwei Maße, sowol die Maße der Stirn siebensylbig und die Volti elfsylbig wären. Bisweilen übertreffen die Volti die Stirn an Sylben und Versen, wie in der, welche wir dichteten:

Traggemi della mente Amor la stiva.

Diese viermaßige Stirn war aus drei Hendekasyllaben und Einem Heptasyllaben zusammengesetzt; denn sie konnte nicht in Füße getheilt werden, da die Gleichheit der Verse und der Sylben gefordert wird in den Füßen unter sich und in den Volten unter sich; und wie wir sagen, daß die Volti die Stirn übertreffen an Versen und Füßen,

---

[1] Maß ist Vers, Zeile.

so kann gesagt werden, daß die Stirn in diesen beiden
Stücken die Volti übertreffen könne, wie wenn jede von
den Volten aus zwei siebensylbigen Maßen und die
fünfmaßige Stirn aus zwei Hendekasyllaben und drei
Heptasyllaben zusammengesetzt wäre. Bisweilen aber
übertreffen auch die Füße den Schweif an Versen und
Sylben, wie in jener, welche wir gedichtet haben:

> Amor che muovi tua virtù dal cielo,

Bisweilen werden die Füße von der Sirima übertroffen, wie in der, welche wir gemacht haben:

> Donna pietosa, e di novella etate.

Und wie wir gesagt haben, daß die Stirn an Versen
übertreffen und an Sylben übertroffen werden könne, und
umgekehrt, so sagen wir dies von der Sirima. Auch
die Füße übertreffen die Volti an Zahl und werden von
ihnen übertroffen: denn es können in der Stanze drei
Füße und zwei Volti sein, und drei Volti und zwei
Füße, und auch durch diese Zahl werden wir nicht begrenzt, daß es nicht erlaubt wäre, mehrere sowol Füße
als Volti zugleich zusammenzusetzen. Und was wir von
dem Uebertreffen der Verse und Sylben gesagt haben
unter Anderem, das sagen wir nun auch von den Füßen
und Volten; denn auf dieselbe Weise können sie übertroffen werden und übertreffen. Und es ist nicht zu
übersehen, daß wir unter Füßen etwas Anderes als die
regelmäßigen Dichter verstehen; denn jene sagen, daß der
Vers aus Füßen, wir aber, daß der Fuß aus Versen
bestehe, wie dies deutlich genug erhellt. Auch ist nicht
zu übersehen, weil wir es zum zweiten Mal bekräftigen,
daß die Füße nothwendigerweise einer von dem andern
die Gleichheit der Verse und der Sylben annehmen,
weil sonst nicht eine Wiederholung des Gesanges geschehen
könnte. Und wir fügen hinzu, daß dasselbe bei den
Volten zu beachten sei.

# Zwölftes Kapitel.

Aus welchen Versen die Stanzen bestehen, und von der Anzahl
der Sylben in den Versen.

Es gibt auch, wie oben gesagt ist, eine gewisse Beschaffenheit, welche wir bei der Abfassung der Verse in Betrachtung ziehen müssen, und daher wollen wir hierauf
Rücksicht nehmen, indem wir demnach wiederholen, was
wir oben von den Versen sagten. In unserm Gebrauche
scheinen hauptsächlich drei Verse den Vorrang der An-
wendung zu haben, nämlich der elfsylbige, der siebensylbige und der fünfsylbige, und diese, haben wir hinzugefügt,
müßten vorzugsweise gewählt werden. Von diesen verdient durchaus, wenn wir tragisch dichten wollen, der
siebensylbige wegen einer gewissen Trefflichkeit das Vor-
recht bei der Abfassung. Denn es gibt eine Stanze,
welche blos in elfsylbigen Versen abgefaßt zu werden
pflegt, wie die des Guido von Florenz:

Donna mi prega, perch' io voglia dire.

Und auch wir haben gedichtet:

Donne, che avete intelletto d'Amore,

So sind auch die Spanier verfahren, und ich meine
die Spanier, welche in der Volkssprache Oc gedichtet
haben. Amerigo de Belemi:

Nuls hom non pot complir adrectiamen.

Eine Stanze gibt es, in welche nur Ein siebensyl-
biger Vers verwebt wird, und dies kann nirgend anders
sein, als wo die Stirn ist oder der Schweif, weil (wie
gesagt ist) in den Füßen und Volten Gleichheit der Verse
und Sylben beobachtet wird, weshalb auch eine ungleiche
Zahl von Versen nicht sein kann, als wo Stirne oder

Schweif nicht ist; aber wo diese sind oder eins von beiden allein, darf man sich einer gleichen und ungleichen Zahl der Verse bedienen nach Gefallen; und wie eine gewisse Stanze durch Einen siebensylbigen Vers gebildet ist, so scheint sie auch aus zwei, drei, vier, fünf dergleichen gebildet werden zu können, sofern nur im Tragischen der elfsylbige überwiegt und den Anfang macht; dennoch finden wir, daß Einige mit dem siebensylbigen tragisch angefangen haben, nämlich Guido bei Ghisilieri, und Fabricio, die Bolognesen:

> Di fermo sofferire. Und
>
> Donna lo fermo cuore. Und
>
> Lo mio lontano gire.

und einige Andere. Aber wenn wir auf deren Sinn genau eingehen wollen, so wird diese Tragödie nicht ohne einigen Schatten von Elegie einherzuschreiten scheinen. Auch von dem fünfsylbigen Verse geben wir dies nicht zu; in einem großen Gedichte genügt es, daß ein einziger fünfsylbiger Vers in der ganzen Stanze vorkomme, oder aufs Höchste zwei in den Füßen, und ich sage in den Füßen wegen der Nothwendigkeit, mit welcher in den Füßen und Volten gesungen wird: am wenigsten aber scheint der dreisylbige Vers im Tragischen genommen werden zu dürfen, für sich bestehend; und ich sage für sich bestehend, weil er vermöge eines gewissen Wiederhalls der Reime häufig genommen zu sein scheint, wie man in der Kanzone des Florentiners Guido finden kann:

> Donna mi prega perch' io voglia dire.

Und in der, welche wir gemacht haben:

> Poscia che Amor del tutto m' ha lasciato.

Und hier ist der Vers durchaus nicht für sich, sondern nur ein Theil des elfsylbigen Verses, dem Reime des

7 **

vorhergehenden Verſes wie Nachhall antwortend.[1] Hieraus
kannſt du denn, o Leſer, hinlänglich abnehmen, wie die
Stanze beſchaffen ſein müſſe; denn Beſchaffenheit ſcheint
man von den Verſen nehmen zu müſſen, und dies iſt
nun hauptſächlich zu merken hinſichtlich der Beſchaffenheit
der Verſe, daß, wenn der ſiebenſylbige Vers in den
erſten Fuß eingemiſcht wird, er dieſelbe Stelle, welche
er hier hat, auch in dem zweiten einnimmt, nämlich
wenn der dreimaßige Theil einen erſten und letzten elf-
ſylbigen Vers hat, und einen mittleren, das heißt, zweiten, ſiebenſylbigen, ſo muß auch der letzte elfſylbige Verſe
und einen mittleren füuffſylbigen haben, ſonſt könnte die
Verdoppelung des Geſanges nicht geſchehen, nach welchem
ſich die Füße richten, wie geſagt iſt, und folglich könnten
es nicht Füße ſein, und was wir von den Füßen ſagen,
gilt auch von den Volten, denn in nichts ſehen wir, daß
die Füße und die Volten ſich unterſcheiden als nur in
der Lage, weil die Füße vor, die Volten nach der Thei=
lung der Stanze genannt werden. Und wie mit dem
dreimaßigen Fuße, ſo erkläre ich, daß es auch mit allen
andern zu halten ſei, und was von einem ſiebenſylbigen
Fuße, das ſagen wir auch von zweien, und von meh=
reren, und von dem fünfſylbigen und von jedem andern.

---

[1] Zum Beiſpiel lauten in der angeführten Kanzone Poscia etc.
der zweite uud dritte Vers:

        Non per mio grato,
        Che stato non avea tanto giojoso,
wo alſo stato den antwortenden Nachhall bildet.

---

# Dreizehntes Kapitel.

Von dem Verhältniß der Reime, und in welcher Ordnung sie
in der Stanze zu stellen sind.

Auch dem Verhältniß der Reime wollen wir uns widmen, nichts jedoch von dem Reim an sich gegenwärtig
abhandelnd; denn eine eigene Betrachtung derselben ver-
sparen wir auf die Zukunft, wenn wir von dem mittleren
Gedichte handeln. Im Anfange dieses Kapitels scheint
Einiges erschlossen werden zu müssen. Das Eine ist die
Stanze oder der Reim[1], in welcher keine Reime erfordert
werden, und Stanzen dieser Art gebrauchte am häufigsten
Arnaldo Daniello, wie dort:

Sem fos Amor de gioi donar.

Und wir:

Al poco giorno ed al gran cerchio d'ombra.

Etwas Anderes ist die Stanze, deren sämmtliche Verse
denselben Reim haben, worin es natürlich überflüssig ist,
eine Regel zu suchen. So bleibt noch übrig, daß wir
nur bei den gemischten Reimen anhalten müssen; und
zuerst ist zu wissen, daß fast Alle hierin sich die weiteste
Freiheit nehmen, und hieraus entsteht hauptsächlich die
Lieblichkeit des ganzen Zusammenklangs. Denn es gibt
Einige, welche nicht alle Ausgänge der Verse in derselben
Stanze reimen, sondern dieselben wiederholen oder reimen
in den andern, wie der Mantuaner Gotto, der seine vielen und guten Kanzonen uns wörtlich bekannt gemacht
hat. Dieser mischte in der Stanze immer einen Vers
ohne Begleitung ein und nannte diesen den Schlüssel,

---

[1] Oder der Reim (sive rithimus) scheint überflüssig.

und wie dies mit Einem erlaubt ist, ist es auch mit zweien erlaubt, und vielleicht mit mehreren. Einige Andere gibt es, und fast alle Erfinder von Kanzonen, welche keinen Vers in der Stanze unbegleitet lassen, sodaß sie ihm nicht den Mitklang eines Reimes geben, entweder Eines oder mehrerer, und zwar machen sie die Reime derjenigen Verse, welche nach der Theilung stehen, verschieden von den Reimen derjenigen, welche vor derselben sind; Einige aber machen es nicht so, sondern weben die Ausgänge der vordern Stanze unter die spätern Verse zurückbringend ein. Am häufigsten geschieht dies im Ausgange des ersten der spätern Verse, welchen die Meisten reimen mit dem Ausgange des letztern von den ersteren, was nichts Anderes zu sein scheint, als eine gewisse schöne Verkettung der Stanze selbst. In Rücksicht der Beschaffenheit der Reime, wie sie in der Stirn oder im Schweif stehen, scheint jede gewünschte Freiheit gewährt werden zu müssen; am schönsten aber sind die Ausgänge der letzten Verse, wenn sie mit dem Reime schweigen; bei den Füßen ist dies aber zu verhüten, und wir werden finden, daß eine gewisse Regel beobachtet sei, und wir sagen dies, indem wir eine Sonderung machen, daß der Fuß entweder in einem gleichen oder ungleichen Maß besteht, und in beiden Fällen kann der Ausgang begleitet oder unbegleitet sein; denn bei einem gleichen Maße zweifelt Niemand; wenn aber bei dem andern Jemand zweifelhaft ist, so möge er sich an Das erinnern, was wir in einem obigen Kapitel von dem Trisyllabus gesagt haben, wenn er als Theil des elfsilbigen Verses wie ein Nachhall antwortet. Und wenn in einem der beiden Füße der Ausgang reimlos bleibt, so muß er durchaus in dem andern Fuß erneuert werden; wenn aber in dem einen Fuß jeder Ausgang seine Reimgenossenschaft hat, so ist es erlaubt, nach Belieben in dem andern die Ausgänge zu wiederholen oder neue zu bringen, entweder durchaus oder theilweise, wenn nur die

Ordnung der vorangegangenen im Ganzen beobachtet wird, zum Beispiel, wenn die äußersten Ausgänge eines Dreimaßes, das heißt, der erste und letzte im ersten Fuße zusammenklingen, so müssen auch die äußersten Ausgänge im zweiten zusammenklingen, und wie der mittlere Ausgang im ersten Fuß sich darstellt als begleitet oder unbegleitet, so muß er im zweiten wiedererstehen; und dasselbe ist bei andern Füßen zu beobachten. Auch in den Volten haben wir fast immer dies Gesetz, und wir sagen fast, weil es sich ereignet, daß wegen der vorherbemerkten Verkettung und wegen der Verdoppelung der letzten Ausgänge bisweilen die eben besagte Ordnung verändert wird. Ueberdies scheint es uns sehr angemessen zu sein, Dasjenige, was man hinsichtlich der Reime verhüten muß, diesem Kapitel anzufügen, da wir in diesem Buche nichts weiter von der Reimlehre zu berühren denken. Drei Dinge sind es also, welche in Absicht der Stellung der Reime Demjenigen, welcher höfisch dichtet, zu thun misziemt, nämlich ein zu häufiger Wiederhall desselben Reims, wenn er nicht etwa dadurch etwas Neues und Unversuchtes von Kunst sich herausnimmt, wie der Tag des entstehenden Kriegsdienstes, welcher ohne einen Verzug seine Tageszeit vorübergehen zu lassen verschmäht; denn dies scheinen wir zu thun dort:

Amor, tu vedi ben, che questa donna. [1]

Das zweite aber ist die unnütze Zweideutigkeit selbst, welche immer dem Sinne etwas zu entziehen scheint, und das dritte die Rauhheit der Reime, wenn sie nicht etwa mit Weichheit gemischt ist; denn durch eine Mischung von weichen und harten Reimen wird selbst die Tragödie

---

[1] Den sehr künstlichen Bau dieser Kanzone oder Doppelsestine beschreibt Witte in der 2. Ausgabe der von mir und ihm herausgegebenen „Dante Alighieri's lyrische Gedichte, Leipzig 1842", im zweiten Theile, S. 108.

geschmückt. Und dies möge von der Kunst, soweit sie die Beschaffenheit betrifft, genügen. Nachdem wir nun Dasjenige, was die Kunst in der Kanzone betrifft, hinlänglich abgehandelt haben, scheint jetzt das Dritte abgehandelt werden zu müssen, nämlich die Zahl der Verse und der Sylben. Und zuerst müssen wir etwas bemerken über die ganze Stanze und etwas theilen, was wir nachher über die Theile derselben bemerken werden. So ist es denn unser erstes Geschäft, eine Sonderung zu machen zwischen Dem, was zu singen vorkommt, weil einige Stanzen scheinen eine Gedehntheit zu begehren, einige nicht: sofern Alles, was wir sagen, entweder rechts oder links zu singen ist, wie es sich ereignet, bisweilen zuredend, bisweilen abmahnend, bisweilen glückwünschend, bisweilen spottend, bisweilen lobend, bisweilen tadelnd zu singen. Die Worte nun, welche nach links gehören, mögen immer zum Ende sich beeilen, und andere mit zierender Gedehntheit allmälig zum Schlusse gelangen.

---

# Dante's Briefe.

# Vorwort.

Die Sammlung der größtentheils in lateinischer Sprache geschriebenen Briefe Dante's ist noch immer sehr klein, obgleich sie sich bis jetzt bis auf vierzehn vermehrt hat, von denen nur ein einziger unecht zu sein scheint. Noch vor 50 Jahren war nur einer vorhanden, der letzte in dieser Sammlung, der ausführlichste zwar, aber weniger ein Brief als eine Abhandlung, eine Einleitung in die göttliche Komödie und insofern wichtig, über das Leben des Dichters jedoch wenig Licht verbreitend. Im Jahre 1790 machte Dionisi den von der Charakterkraft und dem edlen Stolze Dante's das herrlichste Zeugniß gebenden Brief an einen Florentinischen Freund bekannt; es ist der dreizehnte in dieser Sammlung. Außerdem gab es nur noch Uebersetzungen von zwei Briefen an den Kaiser Heinrich VII. und an die Fürsten Italiens bei des Ersteren Ankunft in Italien. Die jetzige Vermehrung derselben verdanken wir dem Herrn Professor Witte, der in Italien vor wenigen Jahren mehrere entdeckte, nachdem er schon im Jahre 1827 die damals vorhandenen herausgegeben hatte. Von seinem Funde hat er in den

Diesen Brief schrieb Dante Alighieri an Oberto und Guido, Grafen von Romena, nach dem Tode des Grafen Alessandro von Romena, ihres Vaterbruders, ihnen Beileid bezeugend über dessen Ableben.

1. Euer Oheim, der erlauchte Graf Alessandro, der in den jüngst verflossenen Tagen in die himmlische Heimat, von wannen er dem Geiste nach gekommen war, zurückgekehrt ist, war mein Gebieter, und sein Andenken wird mich, so lange ich noch in der Zeitlichkeit lebe, beherrschen; denn seine Großmuth, dem jetzt über den Sternen mit würdigem Lohne reichlich gelohnt wird, machte mich ihm aus eigenem Antriebe seit jahrelanger Vergangenheit ergeben. Diese Tugend war es, die zu allen andern in ihm gesellt, seinen Namen über die Verdienste anderer italienischen Helden verherrlichte. Und was anders sprachen die Banner des Helden als: „Die Geißel, welche die Laster vertreibt, haben wir gezeigt?" Denn silberne Geißeln trug er äußerlich im purpurnen Felde und innerlich einen Geist, der in der Liebe zu den Tugenden die Laster verscheuchte. So klage denn, ja es klage der größeste Stamm in Toskana, der von solch einem Mann erglänzte; klagen sollten seine Freunde sammt seinen Dienern, deren Hoffnungen der Tod nun grausam gegeißelt hat. Unter diesen Letzten klage denn auch ich Aermster, aus der Heimath Verstoßener und unschuldig Verbannter, der, wenn ich meine Unfälle erwog, stets meine Sorgen durch die Hoffnung auf ihn beschwichtigte.

2. Aber obwohl nach dem Verlust des Körperlichen, die Bitterkeit des Schmerzes obwaltet, geht doch, wenn man den Blick auf das uns verbleibende Geistige richtet,

# I. An den Kardinal von Prato.
### (1304.)

Dieſer dem Dante nicht ausdrücklich beigelegte Brief
iſt im Namen des Anführers, Aleſſandro da Romena,
des Rathes von zwölf Perſonen, zu denen Dante ſelbſt
gehörte, und der Geſammtheit der aus Florenz vertrie=
benen Weißen an den Kardinal Nikolaus von Oſtia,
Albertini aus Prato, gerichtet. Dieſer Kardinal war
von dem erſt am 22. Oktober 1303 zum Pontifikat er=
hobenen Papſt Benedikt XI. zu Anfang des Jahrs 1304
abgeſandt worden, um in Toskana, der Maremma und
Romagna zwiſchen Gibellinen und Guelfen, Weißen und
Schwarzen, und wie ſonſt noch die faſt in jeder Stadt
einander feindlich gegenüberſtehenden Parteien hießen,
Frieden zu ſtiften. Er traf am 10. März in Florenz
ein und wußte ſich ſchnell faſt unbedingtes Zutrauen zu
erwerben; bald aber verbreitete ſich das angeblich durch
untergeſchobene Briefe genährte Gerücht, daß er die ver=
bannten Weißen zum Schaden der in Florenz zurückge=
bliebenen Schwarzen begünſtige; und nachdem er ſich am
8. Mai zu einer Reiſe nach Piſtoja hatte bereden laſſen,
gelang es ihm nicht mehr, in Florenz Aufnahme zu
finden. Der gegenwärtige, vermuthlich im März 1304,
und zwar vom oberen Arnothal, wohin die Mehrzahl
der Verbannten ſich geflüchtet, geſchriebene Brief nun
läßt uns glauben, daß der von den Schwarzen dem

Dante, Proſaiſche Schriften. II.                8

Friedensstifter gemachte Vorwurf schwerlich ein ganz un-
begründeter war. Es ergibt sich daraus, daß der Kardinal seine Thätigkeit mit der Sendung eines Frater L.
an die verbannten Weißen begonnen und ihnen dabei
brieflich volle Wiedereinsetzung in ihre älteren Rechte und
Reorganisation ihres Vaterlandes im Sinne jener Vertriebenen verheißen. So wissen sie denn Worte des
Dankes, die ihnen genügend schienen, nicht zu finden,
und versichern die Demüthigung ihrer Gegner nur zum
wahren Heile ihrer Heimat zu begehren. Zugleich versprechen sie, nach dem Begehren des Kardinals sich aller Feindseligkeiten gegen die Schwarzen zu enthalten und
die endlichen Friedensbedingungen allein jenem Vermittler
zu überlassen.

---

Dem Hochverehrlichen Vater in Christo, dem
Günstling seiner Gebieter, dem Herren Nikolaus, durch Gottes Gnaden Bischofe von Ostia
und Velletri, des apostolischen Stuhles Legaten
und von der hochheiligen Kirche abgeordneten
Friedensstifter Tusciens, Romagnas, der Mee-
resküste und der umliegenden Landschaften em-
pfehlen sich als gehorsamste Söhne der Anführer
Alexander, der Rath und die Gesammtheit der
Partei der Weißen von Florenz.

1. Durch heilsame Erinnerungen gemahnt und durch
apostolische Sanftmuth aufgefordert, antworten wir nach
liebreich von uns gepflogenem Rathe auf den Inhalt der

der gebürenden Eile ermangelt zu haben scheinen sollten, bitten wir, daß die Fülle eurer Langmuth Nachsicht übe, als dankerfüllte Söhne.

2. So haben wir denn das Schreiben der heiligen Väterlichkeit beschaut, das den Beginn Eures ganzen Verlangens ertönen lassend unsre Herzen sofort mit solcher Freude erfüllte, wie sie Niemand mit Worten oder mit Gedanken zu ermessen vermöchte. Denn die Freiheit des Vaterlandes, nach welcher wir mit fast träumerischem Verlangen trachteten, versprechen die Reihen Eures Briefes mehr als einmal mit väterlicher Ermahnung. Und zu welchem andern Zweck stürzten wir uns in den Bürgerkrieg? Was Anderes suchten unsre hellschimmernden Fahnen? Wofür sonst funkelten unsre Schwerter und Geschosse, als daß Diejenigen, welche die Gesetze des Staats in vermessenem Wahne übertreten hatten, ihren Nacken unter das Joch des heiligen Gesetzes beugten und dem Frieden des Vaterlandes sich mit Gewalt bequemten? Denn der rechtmäßige Pfeil unsrer Absicht, der Senne, welche wir spannten, entschwirrend, nichts als die Ruhe und die Freiheit des florentinischen Volkes suchte er, sucht er, und wird sie in Zukunft suchen. Wenn Ihr nun mit Eurem uns so ersprießlichen Wohlwollen wachet, und unsre Gegner, sofern heiliges Vorhaben es will zu dem Geleise edlen Bürgersinnes zurückzuführen beabsichtigt, wer wird da im Stande sein, Euch würdigen Dank zu zahlen? Das werden nicht wir vermögen, nicht Alles, was von Florentinern auf Erden ist. Aber wenn im Himmel Gerechtigkeit ist, um zu lohnen und zu vergelten, so gewähre sie Euch, was Ihr verdient, die Ihr Mitleid gegen eine solche Stadt übt und herbeieilt, die frevelhaften Zwiste der Bürger beizulegen.

Wahrlich, als wir durch den Bruder L., einen frommen und heiligen Mann, und Anmahner zur Einigkeit und zum Frieden, in Eurem Namen bedeutet und inständig aufgefordert wurden, wie denn auch Euer Schrei-

8*

Aber wenn im Himmel Gerechtigkeit ist, um zu lohnen und zu vergelten, so gewähre sie Euch, was Ihr verdient, die Ihr Mitleid gegen eine solche Stadt übt und herbeieilt, die frevelhaften Zwiste der Bürger beizulegen.

Wahrlich, als wir durch den Bruder L., einen frommen und heiligen Mann, und Anmahner zur Einigkeit und zum Frieden, in Eurem Namen bedeutet und inständig aufgefordert wurden, wie denn auch Euer Schreiben dahin lautete, daß wir von jedem kriegerischen Beginnen und Vorhaben abließen und uns ganz in Eure väterlichen Arme würfen, da unterwarfen wir uns als gehorsame Söhne und als Liebhaber des Friedens und des Rechtes mit Niederlegung der Schwerter freiwillig und aufrichtig Eurem Richterspruch, wie es auch der Mund des besagten Bruders L., Eures Boten, verkünden und wie es aus den öffentlichen feierlich ausgestellten Urkunden erhellen wird.

So bitten wir denn Euer gnadenreiches Wohlwollen inbrünstig und mit kindlicher Stimme, daß Ihr auf unser so lange erschüttertes Florenz den Schlaf des Friedens und der Ruhe träufeln, daß Ihr sein Volk immerdar in Euren Schutz nehmen, uns aber, und die mit uns sind, als ein liebender Vater Euch empfohlen haben wollet, die wir so wenig von der Liebe unseres Vaterlandes jemals abgefallen sind, als wir die Schranken Eurer Gebote je zu übertreten gedenken, sondern vielmehr den letztern, wie sie auch lauten mögen, so pflichtmäßig als gehorsam Folge zu leisten verheißen.

grade der Zeit, in welcher Dante sich am tiefsten gebeugt fühlte, und in der vermuthlich das Convito und die Schrift de vulgari eloquio entstanden, rührt also dieser Brief her. Ueber das unbekannte Verhältniß des Dichters zu dem Verstorbenen, gibt der Brief, besonders zu Anfange, Aufschluß.

\* \* \*

Diesen Brief schrieb Dante Alighieri an Oberto und Guido Grafen von Romena, nach dem Tode des Grafen Alessandro von Romena, ihres Vatersbruders, ihnen Beileid bezeugend über dessen Ableben.

1. Euer Oheim, der erlauchte Graf Alessandro, der in den jüngst verflossenen Tagen in die himmlische Heimat, von wannen er dem Geiste nach gekommen war, zurückgekehrt ist, war mein Gebieter, und sein Andenken wird mich, so lange ich noch in der Zeitlichkeit lebe, beherrschen; denn seine Großmuth, dem jetzt über den Sternen mit würdigem Lohne reichlich gelohnt wird, machte mich ihm aus eigenem Antriebe seit jahrelanger Vergangenheit ergeben. Diese Tugend war es, die zu allen andern in ihm gesellt, seinen Namen über die Verdienste anderer italienischen Helden verherrlichte. Und was anders sprachen die Banner des Helden als: „Die Geißel, welche die Laster vertreibt, haben wir gezeigt?" Denn silberne Geißeln trug er äußerlich im purpurnen Felde und innerlich einen Geist, der in der Liebe zu den Tugenden die Laster verscheuchte. So klage denn, ja es klage der größeste Stamm in Toskana, der von solch einem Mann erglänzte; klagen sollten seine Freunde sammt seinen Dienern, deren Hoffnungen der Tod nun grausam gegeißelt hat. Unter diesen Letzten klage denn auch ich Aermster, aus der Heimath Verstoßener und unschuldig Verbannter, der, wenn ich meine Unfälle erwog, stets meine Sorgen durch die Hoffnung auf ihn beschwichtigte.

2. Aber obwohl nach dem Verlust des Körperlichen die Bitterkeit des Schmerzes obwaltet, geht doch, wenn man den Blick auf das uns verbleibende Geistige richtet, dem inneren Auge fürwahr ein süßes Licht des Trostes auf. Denn er, der den Tugenden hienieden Ehre gab, empfängt jetzt von den Tugenden im Himmel Ehre, und der der Paladin des römischen Hofes in Tuscien war, bestralt jetzt als auserkorener Trabant der unvergänglichen Königsburg das himmlische Jerusalem mit den Fürsten der Seligen. Darum ermahne ich Euch, meine werthesten Gebieter, mit bittlichem Zuspruch, daß Ihr Euern Schmerz mäßiget, und dessen, was Ihr für diese Welt verloren, nur gedenket, um darin ein Vorbild Eures Wandels zu finden, damit Ihr in Zukunft, wie er Euch, als die ihm dem Blute nach Nächsten, gerechterweise zu Erben seiner Güter eingesetzt, so auch mit seinen makellosen Sitten Euch bekleiden möget.

3. Schließlich aber vertraue ich noch außerdem Eurer einsichtigen Erwägung, daß Ihr meine Abwesenheit bei dem bevorstehenden thränenreichen Begräbniß entschuldigen wollet. Wahrlich, nicht Lässigkeit ist es noch Undank, die mich zurückhalten, sondern allein die unvermuthete Armut, welche die Verbannung über mich gebracht hat. Sie ist es, die, eine unversöhnliche Verfolgerin, mich der Pferde und Waffen beraubt, in die Höhle ihrer Knechtschaft verstoßen, und den mit aller Kraft sich wiederzuerheben Bestrebten bisher mit Uebermacht grausam festzuhalten nicht abläßt.

## III. An Marcello Malaspina.
### (1309.)

Ueber diesen zwar kurzen aber anziehenden Brief hat
Herr Professor Witte in den Blättern für literarische
Unterhaltung, 1838, Nr. 150, sowie in den von mir
und ihm herausgegebenen „lyrischen Gedichten Dante's"
2. Auflage, 2. Theil, S. 117 und S. 234—39, nähere
Nachricht gegeben und gezeigt, „daß derselbe nach den
verunglückten Versuchen der vertriebenen Weißen, mit
Waffengewalt nach Florenz zurückzukehren (1304), nach
der Einnahme des ghibellinischen Pistoja (1306), und
nach dem Capitanat des Marcello in dieser Stadt (1307),
ja selbst nach dem Ausbruch der Mißhelligkeiten zwischen
Marcello und den Florentinern (1308); aber vor dem
Beginn des Römerzuges Heinrich's VII, daß er also vermuthlich im Jahre 1309 geschrieben ist." Unter den
verschiedenen Malaspina's, die den Namen Marcello geführt haben, bezeichnet derselbe den Marchese di Gio-
vagallo, Sohn des Manfredi Lancia und Enkel des
Currado l'Antico (Purgat. 8, 119), Gemahl der Ala-
gia Fieschi (Purg. 19, 142), mit Einem Worte den
berühmtesten Marcello als Denjenigen, an den dieser
Brief gerichtet war, und nimmt an, der Brief sei von
einer der Burgen der Grafen Guidi von Romena, vielleicht von der des Grafen Guido Salvatico im Casen-
tino geschrieben. Ueber den Inhalt drückt sich derselbe
folgendermaßen aus: „Der Dichter meldet seinem Gönner:
kaum von dessen Hofe, nach welchem er sich oft zurück-
gesehnt und an dem seine Unempfänglichkeit für weibliche
Reize nicht selten ein Gegenstand der Verwunderung gewesen, zu den Quellen des Arno (vielleicht zum Grafen
Guido Salvatico, anderm Geschwisterkinde des Alessandro von Romena) heimgekehrt, habe er ein Weib er-

blickt, die Liebe zu dieſer ſich unwiderſtehlich ſeiner be-
mächtigt, alle andern Gedanken in ihm verdrängt und
ihn durchaus umgewandelt. Eine, dieſe Gefühle weiter
ausführende Kanzone ſcheint dem Briefe beigelegt zu ſein,
und man darf nicht fürchten fehlzugreifen, wenn man ſie
in der mit den Worten: „Amor dacchè convien pur
ch'io mi doglia" beginnenden (in der Ausgabe von Kanne-
gießer S. 164) wiedererkennt, welche mit dieſer proſa-
iſchen Schilderung auf das entſchiedenſte übereinſtimmt
꞊c. ꞊c." Hier mag auch noch der Anfang des Briefes
des Herrn Dr. Heyſe zu Rom an Herrn Profeſſor Witte
vom 21. Nov. 1840 ſtehen, den Letzterer in der vorher
angeführten Ueberſetzung und Erklärung der lyriſchen Gedichte Dante's mittheilt: „Der Brief an Marcello Malaspina iſt gewiß ein ſchöner Fund und macht mir beſondere Freude. Ein Herzensgeſtändniß an einen vertrauten Freund, aber ein Geſtändniß im Styl Dante's.
Was gewöhnliche Seelen nur wie vorüberſtreifend berühren würde, faßt und erfüllt hier den ganzen Menſchen, verſchlingt für den Augenblick alle ſeine Kräfte.
Und wie er es empfangen, wirft der Spiegel ſeines Geiſtes
das Erlebniß in zauberhaft großen Formen, ja mit Blitz
und Flammen zurück. Er kann nicht erzählen, er kann
nur dichten; unwillkürlich wird ihm die Bekanntſchaft
zur Erſcheinung. Aber je poetiſcher und ſublimer ſein
Bericht, deſto wirklicher mußte der Anlaß ſein, und
thöricht wär's, obwol ganz im Sinne der italieniſchen
Ausleger, auch hier eine ich weiß nicht welche, Allegorie
vorauszuſetzen. Dante war nicht der Mann, ſich erſt
aus dem Stegereife in ein Geſpenſt ſeiner Phantaſie zu
verlieben, und hernach noch einen guten Freund zu myſti-
ficiren, dem er eine Zahl Gedichte als lebendige Zeugen
ſeiner Leidenſchaft ſendet. Daß von Beatrice hier nicht
die Rede ſein kann, und daß jene Gedichte, welche den
Brief begleiteten, nicht etwa Theile der göttlichen Komödie waren, verſteht ſich wohl. — Wir dürfen nicht zwei-

feln: diese schönheitstralende Frau war ungeachtet ihrer Gewalt und Herrlichkeit nicht mehr und nicht minder als eine jener immagini false, deren Verehrung Dante am Eingang des Paradieses vor der beseligenden Liebe seines Geistes abzubüßen hatte u. s. w."

\*     \*     \*

Dante an den Herrn Marcello, Markgrafen von Malaspina.

Damit dem Gebieter die Bande seines Dieners nicht verborgen bleiben, des durch das Gefühl obwaltender edler Uneigennützigkeit ihm gewordenen Dieners, und damit nicht andre und andre Berichte, welche oft die Aussaat falscher Meinungen zu sein pflegen, den Gefangenen der Lässigkeit zeihen, gefiel es mir die Reihe beiliegender Eingebungen den Augen Eurer Herrlichkeit vorzulegen.

Denn als ich von der Schwelle des sofort von mir vermißten Fürstenhofes mich getrennt hatte (wo, wie Ihr oft mit Verwunderung sahet, freien Beschäftigungen zu folgen mir vergönnt war) und sorglos und sonder Ahnung kaum die Ufer des Arno betrat, da plötzlich, ach, erschien mir ein Weib, wie ein Blitz herabfahrend; ich weiß nicht wie, meinen Vorbedeutungen von allen Seiten her an Sitte und Gestalt angemessen. O wie betäubt war ich bei ihrer Erscheinung. Aber die Betäubung wich dem Schrecken eines nachfolgenden Donners. Denn gleichwie den täglichen Wetterleuchtungen sofort Donner nachfolgen, so faßte mich bei dem Anblick der Flamme dieser Schönheit der furchtbare und gebieterische Amor. Und dieser Wüterich, gleichwie ein aus dem Vaterlande vertriebener Besitzer, wenn er nach langer Verbannung zur Heimath kehrt, er vernichtete, verjagte, fesselte Alles in meinem Innern, was ihm widerwärtig gewesen war. Er vernichtete, sage ich, jenen löblichen Entschluß, vermöge dessen ich den Frauen und ihrer Besingung entsagte, und verbannte frevelhaft die unablässigen Betrachtungen, mit welchen ich Himmlisches und Irdisches beschaute, als ob sie Verdacht erregten, und fesselte endlich, damit die Seele nicht ferner sich gegen ihn empöre, meinen freien Willen, sodaß ich, nicht wohin ich, sondern wohin er will, mich wenden muß. So herrscht denn Amor in mir; und auf welche Weise er mich beherrscht, mögt Ihr aus Dem, was unten steht außerhalb dem Bezirk der gegenwärtigen Zeilen, ersehen.

## IV. An Cino von Pistoja.

Dem verbannten Pistorienser der unschuldig verbannte Florentiner auf ewige Zeiten Heil und dauernder Zärtlichkeit Glut. [1]

1. Der Brand deiner Liebe stieß das Wort heftigen Vertrauens aus, vermöge dessen du mich befragt hast, o Theuerster, ob die Seele von Leidenschaft zu Leidenschaft übergehen könne: von Leidenschaft zu Leidenschaft sage ich hinsichtlich desselben Vermögens, und indem eine verschiedene sich darbietet der Zahl nach, nicht der Art nach; wiewol nun dies aus deinem Munde richtiger hervorgehen mußte, wolltest du mich dennoch zum Stimmgeber machen, um durch die Aufhellung einer zu sehr bezweifelten Sache die Ehre meins Namens zu erhöhen. Wie sehr ich dies anerkenne, wie willkommen und angenehm es mir sei, sagt ohne ungelegene Schwächung

---

[1] Dieser kurze und eben nicht bedeutende Brief ist dem Dante nicht mit völliger Gewißheit beizulegen und beantwortet die Frage Cino's, ob es der Liebe entgegen sei, von einem Gegenstande auf den andern überzugehen. Der Brief muß in die Zeit der Verbannung Cino's zwischen 1307 und 1319 fallen. Die kalliopeische Rede bezieht sich wol auf ein beigelegtes Gedicht.

die Sprache nicht; nachdem du daher die Ursache meines Schweigens wahrgenommen hast, ermiß Das, was nicht ausgedrückt wird, selber.

2. Siehe, die kalliopeische Rede folgt unten, wo der Sinn in Lehrversen erscheint, wenn er gleich bildlich nach dichterischer Weise bezeichnet wird, daß die Kraft der Liebe für Eines ermatten und endlich schwinden könne, und ferner, daß das Verschwinden des Einen in der Seele ein Anderes aufs neue erzeuge.

3. Und diese Behauptung, wiewol die Erfahrung sie bezeugt, kann durch Vernunft und Ansehen vertheidigt werden. Denn jedes Vermögen, das durch das Schwinden Einer Thatäußerung nicht zerstört wird, bleibt natürlicherweise für eine andre aufbewahrt. Daher werden die Sinnesvermögen, die Empfindungsvermögen, wenn das Werkzeug bleibt, durch das Aufhören der einen Aeußerung nicht zerstört und natürlicherweise für eine andere aufbehalten. Wenn nun das Begehrungsvermögen, in welchem die Liebe ihren Sitz hat, ein Empfindungsvermögen ist, so erhellt, daß nach dem Schwinden der Einen Leidenschaft, wodurch es zur Thätigkeit kam, es für eine andere aufbehalten bleibt. Den Ober- und Untersatz des Schlusses, in welche sich leicht eingehen läßt, überlasse ich deinem Fleiße zu beweisen.

4. Den Ausspruch aber des Naso im vierten Buche der Verwandlungen, der gradezu und buchstäblich hierauf paßt, betrachte sorgsam, nämlich da, wo der Verfasser (und zwar in der Dichtung von den drei götterverachtenden Schwestern) von den Sprößlingen der Semele spricht, indem er zum Sol sagt (der, nachdem er die andern Nymphen verlassen und vernachlässigt hatte, für welche er früherhin entbrannt war, seit kurzem die Leukonoe liebte): „Was nun, Sohn Hyperion's?" und so weiter.

5. Hiemit, theuerster Bruder, mahne ich dich an das Vermögen zur Geduld gegen die Geschosse der rhamnusischen Göttin. Durchlies, ich bitte dich, die Mittel ge-

gen den Zufall, welche von dem berühmteſten der Philoſophen, dem Seneka, uns wie Söhnen von einem Vater dargeboten werden, und zumal entfalle deinem Ge-
dächtniſſe der Spruch nicht: „Wäret ihr von der Welt,
ſo hätte die Welt das Ihre lieb"[1] u. ſ. w.

---

## V.  An die Fürſten und Herren Italiens.
### (1310.)

Dieſer Brief, deſſen lateiniſche Urſchrift, nachdem er
bisher nur italieniſch vorhanden war, Torri zuerſt herausgegeben hat, wurde etwa im Jahr 1310 geſchrieben,
als man der Ankunft des Kaiſers Heinrich VII. entgegen-
ſah, und fordert die ſeit dem Tode des Kaiſers Friedrich
II. der kaiſerlichen Gewalt noch mehr als ſonſt wider-
ſpenſtigen und aufrühriſchen Machthaber Italiens zur
Einigkeit und Unterwürfigkeit gegen den Kaiſer auf: denn
gleichwie dem Papſt die geiſtliche, ſo ſei dem Kaiſer die
weltliche Obergewalt auf Erden anvertraut. Die Sprache
dieſes Briefes iſt, wie es damals üblich war und ſich
daher auch in den Briefen Petrarka's zeigt, ungemein
kräftig und kühn, und wird es noch mehr durch den
dichteriſchen Schwung und den bibliſchen altteſtamenta-
liſchen Ausdruck. Das lateiniſche Original unterſcheidet
ſich ſehr zu ſeinem Vortheil von der bisher an mehreren
Stellen verderbten italieniſchen Ueberſetzung, obwol auch
in der Urſchrift noch einiges Unverſtändliche oder Schwer-
verſtändliche ſich findet.

---

[1] Joh. 15, 19.

Den sämmtlichen und einzelnen Königen [1] und Senatoren der hehren Stadt, sowie den Geschlechtern und Völkern entbietet Frieden der demüthige und unverdient verbannte Italer Dante Alighieri aus Florenz.

1. Siehe da die willkommene Zeit, in welcher die Zeichen des Trostes und des Friedens sich erheben. Denn der neue Tag erglänzt, seinen Schimmer zeigend, der schon die Finsterniß des langwierigen Elends zerstreut. Schon verstärken sich die Morgenlüfte, der Himmel röthet sich an seinen Rändern, und kräftigt mit milder Klarheit die Wahrzeichen der Völker. Und wir werden die ersehnte Freude erblicken, die wir lange in der Wüste übernachteten. Sintemal der friedfertige Titan wiedererstehen und die Gerechtigkeit, die ohne ihre Sonne gleich Pflanzen um die Zeit der Sonnenwende erstorben war, sobald er seine Locken geschüttelt hat, wiedergrünen wird. Sättigen werden sich Alle, welche hungern und dursten, in dem Lichte seiner Stralen, und verwirrt werden, die da Ungerechtigkeit lieben, durch sein funkelndes Angesicht. Denn es erhob die mitleidigen Ohren der Löwe vom Stamm Juda, und, Erbarmen fühlend bei dem Geheul der allgemeinen Gefangenschaft, erweckte er einen zweiten Moses, der sein Volk befreien wird von den Plagen der Aegypter, sie in das Land führen, wo Milch und Honig fließt.

2. Freue dich nun, Italia, du auch den Saracenen mitleidswürdige, die du sofort neidenswerth erscheinen wirst dem Erdkreise; denn dein Bräutigam, der Trost der Welt und der Stolz deines Volkes, der gnadenreiche Heinrich, der Göttliche und Augustus und Cäsar, eilt zur Hochzeit. Trockne die Thränen und tilge die Spuren des Kummers, du Schönste: denn nahe ist er, welcher dich befreien wird aus dem Kerker der Gottlosen, er, der

---

[1] Robert von Neapel und Friedrich von Sicilien.

die Boshaften schlagend, sie mit der Schärfe des Schwerts verderben, und seinen Weinberg andern Arbeitern verdingen wird, die die Frucht der Gerechtigkeit darbringen zur Zeit der Erndte.

3. Aber wird Augustus mit Niemand Barmherzigkeit haben? Vielmehr, er wird allen Denen verzeihen, welche seine Barmherzigkeit anflehen; ist er doch Cäsar, kommt doch seine Majestät vom Quell der Milde herab. — Sein Gericht ist Feind jeder Grausamkeit, und steht stille, immer disseits der Mitte bleibend, bis jenseits der Mitte vergeltend. Wird er also dem Frevelmuth der Nichtswürdigen Beifall geben und den Anstiftungen der Vermessenen den Becher zutrinken? Das sei ferne! Ist er doch Augustus! Und wenn er Augustus ist, wird er nicht rächen die Schandthaten der Wiedergefallenen, und sie bis Thessalien verfolgen, bis zum Thessalien, [1] sage ich, der endlichen Vertilgung?

4. Entledige dich, o Blut der Longobarden, der gehäuften Barbarei, und wenn noch etwas vom Samen der Trojaner und Lateiner übrig ist, so mach' ihm Platz, damit der hochschwebende Adler, wenn er niederfahrend nach Art des Blitzes erscheinen wird, nicht seine Jungen herausgeworfen und den Ort seines eigenen Stammes von jungen Raben eingenommen sehe. Wolauf, eilt, ihr Sprößlinge Skandinaviens [2], damit ihr euch seiner Gegenwart, soweit sie euch angeht, erfreuet, vor dessen Ankunft ihr mit Recht zittert. Es berücke euch nicht die täuschende Begierde, nach Art der Sirenen ich weiß nicht durch welche Süßigkeit die Wachsamkeit der Vernunft ertödtend. Bereitet denn im voraus eure Mienen zum Bekenntniß der Unterwürfigkeit vor ihm und jubelt auf

---

[1] „Dum Caesar cum exercitu fatalem victoriae suae Thessaliam petiit." Vellej. Paterc. II, 51. Durch Thessalien wird Florenz bezeichnet, nach Torri. [2] Die Lombarden hielten sich für Abkömmlinge Skandinaviens.

dem Pfalter der Reue, erwägend, daß, wer der Obrigkeit widerstrebt, der Ordnung Gottes widerstrebt, und
wer gegen Gottes Ordnung ankämpft, gegen den gleich-
bleibenden Willen der Allmacht löckt, und daß es hart
ist, gegen den Stachel zu löcken.

5. Aber ihr, die ihr als Unterdrückte trauert, erhebt
den Geist, denn nahe ist euer Heil. Nehmt den Karst
edler Demuth, und ebnet, nachdem ihr die Schollen
dürrer Feindschaft zerschlagen habt, das kleine Feld eures
Geistes, damit der himmlische Regen, eurer Aussaat zuvorkommend, nicht vergeblich von der erhabensten Höhe
falle. Daß nicht die Gnade Gottes von euch, wie der
tägliche Thau von dem Steine, zurückspringe, sondern
nehmet ihn auf wie ein fruchtbares Thal, und grüne
Sprossen möget ihr treiben, ich sage grüne, welche des
wahren Friedens Früchte bringen; denn, wenn von solchem
Grün euer Land lenzet, wird der neue Ackersmann der
Römer die Stiere seines Rathes mit größerem Verlangen
und mit größerem Vertrauen an den Pflug schirren.
Verzeihet, verzeihet nunmehr, o Geliebteste, die ihr mit
mir Unrecht erduldet habt, damit der hektorische [1] Hirte
euch als die Heerde seines Schafstalles erkenne, der, wenn
gleich ihm die zeitliche Züchtigung von oben her vertraut
ist, dennoch, damit er die Güte Dessen zu schmecken gebe,
von welchem wie von einem Punkt die Macht des Petrus und des Cäsar sich zweizackt, der üppigen Genossenschaft sich um so lieber erbarmt.

6. Wenn also alte Schuld nicht schadet, welche meistens
wie eine Schlange kreist und sich in sich selbst zurück-
windet, so könnt ihr einem Jeden von Beiden den Allen
so erwünschten Frieden zuwenden, und schon die Erstlinge
der erbetenen Freude kosten. Erwachet denn alle, und
erhebet euch eurem Herren entgegen, o Bewohner Ita-

---

[1] Hektorisch, wol für römisch, weil die Römer von den
Trojanern abstammten.

liens, die ihr ihm aufbehalten seid nicht blos, daß er euch beherrsche, sondern als Kinder regiere.

7. Und nicht allein, daß ihr aufstehet, ermahne ich euch, sondern auch, daß ihr seinem Anblicke staunt, ihr, die ihr aus seinen Quellen trinket und seine Meere beschiffet, und den Sand betretet der Inseln, und die Kuppen der Alpen, welche sein sind, und die ihr alles Oeffentliche genießt, und das Eigenthum nicht anders als durch das Band seines Gesetzes besitzet. Wollet euch nicht selbst gleichwie Unwissende täuschen, als ob träumend im Herzen und sprechend: „Wir haben keinen Herrn." Denn sein Garten und See ist, was der Himmel einschließt; denn: „Gottes ist das Meer und er selbst hat es gemacht, und die Feste gründeten seine Hände." Drum, daß Gott den Römer als Fürsten zuvorbestimmt hat, das leuchtet aus seinen wundersamen Wirkungen hervor, und daß er es nochmals durch das Wort des Wortes bestätigt habe, das bezeuget die Kirche,

8. Traun, wenn von der Kreatur der Welt die unsichtbaren Dinge Gottes durch Das, was gemacht ist, mit dem Verstande erblickt werden, und aus den uns bekannteren die unbekannteren, so ist der menschlichen Fassungskraft gleichfalls daran gelegen, durch die Bewegungen des Himmels den Beweger und sein Wollen zu erkennen; leicht wird diese Vorherbestimmung auch den oberflächlichen Betrachtern erhellen. Denn wenn wir von deren erstem Ursprunge an die Vergangenheit wieder aufdecken, seitdem nämlich den Argivern die Gastfreundschaft von den Phrygiern versagt wurde, und bis zu den Triumphen Octavian's die Thaten der Welt wieder zu schauen uns verlangt, so werden wir sehen, daß einige derselben allerdings die Gipfel der menschlichen Tugend überschritten, und daß Gott durch Menschen, gleichwie durch neue Himmel, Manches bewirkt habe. Denn nicht immer ja handeln wir; vielmehr bisweilen sind wir die Werkzeuge Gottes, und die menschlichen Willensäußerungen, denen

von Natur die Freiheit innewohnt, werden auch von der niederen Begierde freigelassen, zu Zeiten geleitet, und, dem ewigen Willen unterthan, sind sie ihm oft dienstbar, ohne es zu wissen.

9. Und wenn diese Dinge, welche gleichwie Anfänge sind, nicht hinreichen Das zu beweisen, was gesucht wird; wer wird nicht durch den aufgestellten Schluß, nachdem solches voraufgeschickt ist, gezwungen werden, meiner Meinung zu sein? Das sehen wir an dem zwölfjährigen Frieden, der den Erdkreis umschlungen hat, der das Ant=litz seines Beweisführers, den Sohn Gottes, gleichwie nach vollbrachten Werke, darstellt. Und dieser, als er zur Offenbarung des Geistes, Mensch geworden auf Erden das Evangelium verkündigte, sprach, indem er gleichsam zwei Reiche schied, Sich und dem Cäsar das Gesammte zuertheilend: „daß Jedem gegeben werde, was sein ist.‟

10. Aber wenn der hartnäckige Geist mehr fordert, der Wahrheit noch nicht beistimmend, so prüfe er die Worte Christi, als er schon gebunden war. Denn als Diesem Pilatus seine Macht entgegenstellte, bestätigte un=ser Licht, daß das Amt von oben komme, dessen sich Jener rühmte, der mit stellvertretendem Ansehen des Cäsar waltete. Wandelt also nicht, wie die Heiden wan=deln, in der Eitelkeit des durch Finsterniß verdunkelten Sinnes, sondern öffnet die Augen eures Geistes und sehet, sintemal der Herr des Himmels und der Erde ihn uns zum Könige bestellt hat. Er ist derjenige, welchen Petrus, Gottes Statthalter, uns zu ehren ermahnt, welchen Klemens, der jetzige Nachfolger Petri, durch das Licht apostolischen Segens erleuchtet, damit, wo der geistige Stral nicht genüget, der Glanz des kleineren Lichtes leuchte.

## VI. An die Florentiner.

### (1311.)

Dieser neuaufgefundene wichtige und ausführliche Brief ist, wie die Unterschrift sagt, am letzten Tage des März 1311 und folglich zu der Zeit geschrieben, als Kaiser Heinrich VII. gegen Cremona und Brescia aufgebrochen war, und zwar in einem aufgeregten, bitteren, ganz anderen Tone als der einige Jahre zuvor abgefaßte und mit diesem nicht zu verwechselnde, gleichfalls an die Florentiner gerichtete, wovon uns noch die Anfangszeile aufbewahrt ist: „Mein Volk, was habe ich Dir gethan?" In dem hier folgenden wirft er den Florentinern in den stärksten Ausdrücken ihren frevelhaften Ungehorsam gegen den Kaiser vor, dem der Geschichte und der Offenbarung gemäß die weltliche Macht über den Erdkreis anvertraut sei. Ohne der geistlichen Macht Abbruch thun zu wollen, tadelt er dennoch Papst und Geistlichkeit. Der besondre Vorwurf, den er seinen Landsleuten macht wegen eines widersetzlichen Rathsbeschlusses, scheint nach Witte's Vermuthung auf die trotzige Beantwortung des Königlichen Fürworts in der Aretiner Angelegenheit im Julius 1310 (Villani 8, 120) zu gehen. Die erste Hälfte des fünften Abschnittes enthält eine Warnung, sich nicht zu überheben und weniger an den Sieg, welchen die Parmesaner über Friedrich II. bei dessen neuerrichteten Lagerstadt Vittoria erfochten, als an die Zerstörung Mailands durch Kaiser Friedrich I. zu denken; goldene Worte über Gesetz und Freiheit die zweite Hälfte desselben.

\*    \*    \*

Dante Alighieri, der Florentiner und unschuldig Verbannte, grüßt die ruchlosen einheimischen Florentiner.

1. Die hehre Vorsicht des ewigen Königs, der dem himmlischen Reiche durch seine Güte ewige Dauer verleiht, ohne von dem irdischen sein Auge abzuwenden, hat der hochheiligen Herrschaft der Römer die menschlichen Angelegenheiten zur Leitung übergeben, damit unter der Ungetrübtheit eines so mächtigen Schutzes das menschliche Geschlecht in Ruhe wohne und allenthalben der Forderung der Natur gemäß ein bürgerliches Leben führe, Obgleich dies durch biblische Lobsprüche bestätigt wird, obgleich, auf die Grundlage der bloßen Vernunft gestützt, die alte Zeit dies bezeuget, so wirft doch auch der Umstand auf diese Wahrheit ein helles Licht, daß, während der kaiserliche Thron leer steht, der ganze Erdkreis aus seiner Bahn weicht, weil der Steuermann und die Ruderer auf dem Nachen Petri schlummern, und daß den Ungestüm der Winde und Fluten, von welchen das arme, nur der Willkür Einzelner preisgegebene, und von aller öffentlichen Leitung entblößte Italien hin und her geworfen wird, nicht Worte auszusprechen vermöchten, ja kaum die Thränen der unglücklichen Italer ermessen. Wenn daher auf alle Die, welche im frevelem Wahne gegen diesen klaren und offenbaren Willen Gottes sich aufblasen, das Schwerdt Dessen, der da spricht: „die Rache ist mein," noch nicht vom Himmel fuhr, so mögen jetzt vor dem strengen Gericht des herannahenden Richters ihre Wangen erbleichen.

2. Euch aber, die Ihr göttliche und menschliche Rechte überschreitet, Euch, die Ihr, keinen Frevel scheuend, von unersättlicher Gier verlockt werdet, machen Euch nicht die Schrecken des zweiten Todes erbeben, daß Ihr zuerst und allein, das Joch der Freiheit verschmähend, gegen den Ruhm des römischen Fürsten, des Königes der Welt, des Beauftragten Gottes getobt, und, auf das

Recht der Verjährung Euch berufend, vorgezogen habt, der schuldigen Ergebenheit Pflichten zu verweigern und zu des Aufruhrs Raserei Euch zu erheben? Wisset Ihr nicht, Ihr Bethörten und Sinnlosen, daß das öffentliche Recht erst an der Grenze der Zeit sein Ende findet und keiner Rechnung der Verjährung unterworfen ist? Denn die Gesetzeinweiher erklären offen, und die menschliche Vernunft entscheidet es durch ihre Forschungen, daß sie trotz langer Vernachlässigung nimmer schwinden oder durch Schwächung heimgesucht werden können. Denn was Allen frommt, kann ohne Aller Schaden nicht untergehen oder auch nur an Kraft verlieren. Das will nicht Gott und nicht Natur, und würde der Beistimmung der Sterblichen gänzlich widerstreben. Wollt Ihr, durch so thörichte Meinung bewogen, gleich neuen Babyloniern, von dem frommen Kaiserthum Euch losreißen und neue Reiche versuchen, daß ein anderes das florentinische, und ein anderes das römische Staatenthum sei? Warum beliebt es Euch nicht gleichfalls, auf die apostolische Einherrschaft scheel zu sehen, damit, wenn am Himmel der Mond verdoppelt werden soll, auch eine doppelte Sonne sei? Wenn es Euch also nicht schreckt, Eurer bösen Wagnisse zu gedenken, so schrecke es wenigstens Euer verhärtetes Herz, daß nicht nur die Weisheit, sondern der Anfang derselben zur Strafe für Eure Schuld Euch genommen ist. Denn kein Zustand des Verbrechers ist entsetzlicher, als wenn er schamlos und ohne Furcht vor Gott ganz nach Willkür handelt. Oft nämlich wird der Gottlose von solcher Züchtigung getroffen, daß er im Tode seiner selbst vergißt, der im Leben Gottes vergaß.

3. Wenn durchaus in Eurem verruchten Uebermuth Eure Stimme so sehr des Thaus von der Höhe, gleich den Girfeln Gilboas, Euch beraubte, daß Ihr nicht fürchtet, dem Beschlusse des ewigen Rathes Widerstand zu leisten, und auch Eure Furchtlosigkeit Euch nicht Furcht einflößt, wird aber jene zu Euerm Verderben ge-

reichende, menschliche und irdische Furcht von Euch fern
bleiben können, wenn der unvermeidliche Schiffbruch Eures hochmüthigen Blutes und Eures noch oft von Euch
zu beweinenden Raubes eilig herannaht? Werdet Ihr,
hinter lächerliche Wälle verschanzt, irgend einer Vertheidigung vertrauen? O Ihr nur zum Uebel Einträchtigen,
von wunderbarer Leidenschaft Verblendeten, was wird es
Euch helfen, mit Wällen Euch zu verschanzen, was mit
Außenwerken und Thürmen Euch zu verfestigen, wenn
erst der Adler in goldenem Felde schreckenbringend her-
beischwebt, der, bald die Pyrenäen, bald den Kaukasus
und bald den Atlas überfliegend, durch der himmlischen
Heerschaaren Lenkung gekräftigt, den weiten Ocean einst
in seinem Fluge nicht als eine Hinderniß geachtet hat? [1]
Ja, wenn Ihr erstarren werdet, Ihr unglückseligsten unter den Menschen, vor der Ankunft Dessen, der das
wahnsinnige Hesperien bezwingt? Traun, nicht Hoffnung,
welche Ihr vergeblich ohne Maaß hegt, wird dem Sträu-
ben frommen, sondern an diesem Riegel wird die Ankunft des gerechten Königs sich noch mehr entflammen,
und die Langmuth, die immer seine Schaaren begleitet,
unnütz entweichen; und wo Ihr das Ehrenkleid falscher
Freiheit zu verfechten wähnt, da werdet Ihr in die Skla-
venkerker wahrer Knechtschaft versinken.   Denn durch
Gottes wunderbares Gericht wird ein Jeder getrieben,
auf eben dem Wege, auf dem er der verwirkten Strafe
zu entfliehen vermeint, sich derselben schwerer entgegen-
zustürzen, und, wenn er freiwillig und wohlbewußt wider den göttlichen Willen ankämpfte, unbewußt und wi-
derwillig für denselben zu streiten.

4. So werdet Ihr denn trauernd Eure Gebäude,
welche nicht, wie es dem Bedürfnisse geziemt, versehen,
sondern zu Ueppigkeiten unverständig verkehrt sind, unter
den Stößen des Mauerbrechers zusammenstürzen und von

---

[1] Siehe Paradies, 6. Gesang.

den Flammen verbrennen sehen. Den Haufen des Volkes, der jetzt von allen Seiten rasend, bald für und bald wider, in die Gegensätze umspringt, werdet Ihr dann einstimmig wütendes Geschrei gegen Euch verführen hören, wenn er dem Hunger und der Furcht zugleich zu widerstehen nicht mehr vermag. Und nicht minder wird es Euch schmerzen, die ihres Schmuckes beraubten und von dem klagendem Zusammenfluß der Frauen erfüllten Kirchen zu schauen, welche der Väter ihnen unbewußte Sünden zu büßen bestimmt sind. Täuscht sich mein prophetischer Geist nicht, dem wahrhafte Zeichen und unwiderlegliche Gründe zur Seite stehen, so werden unter Euch nur Wenige, der Verbannung Aufgesparte, nachdem Tod oder Gefangenschaft die Mehrzahl hinweggerafft haben wird, die anhaltender Trauer verfallene Vaterstadt endlich fremden Händen übergeben sehen. Und, daß ich es mit wenigen Worten sage, eben die Leiden, welche, in der Treue verharrend, Sagunt für die Freiheit zu ewigem Ruhme getragen, die, zur Schande in der Untreue für die Knechtschaft, zu erdulden ist Euch bestimmt.

5. Schöpfet auch nicht aus dem unvermutheten Glücke der Parmesaner kecken Muth, die, von dem zum Unheil überredenden Hunger getrieben, mit murrendem Zuruf untereinander: Sterben wir lieber, und stürzen uns mitten unter die Waffen! das Lager des Cäsar in Abwesenheit des Cäsar überfielen. Denn auch sie, obwol sie über Vittoria den Sieg erlangten, erwarben nichts weniger Schmerz durch Schmerz zu dessen Gedächtniß. Aber zählet die Blitze des ersten Friedrich, und nehmet Mailand, und nicht minder Spoleto, in Rath, sintemal eure geschwollenen Eingeweide, durch deren Sturz und Vertilgung gedehnt erstarren, und eure zu sehr entflammten Herzen zusammenschrumpfen werden. Ach, Ihr Eitelsten unter den Tuskern, sinnlos eben so sehr durch Schnödigkeit als von Natur! Wie sehr in der Finsterniß der Nacht die Füße heilloser Gesinnung vor den Augen der

Beflügelten irregehn, das erwägt Ihr, das stellt Ihr
Euch nicht vor in Eurem Unverstande. Denn es sehen
Euch die Beflügelten und auf ihren Pfad Unbefleckten
gleichsam auf der Schwelle des Kerkers stehen und wie
Ihr Jeden bedauert und abwehrt, der Euch Gefangene
etwa befreien wollte, die Ihr an Händen und Füßen gefesselt seid. Wohl gewahrt Ihr mit Blindheit Geschla-
genen nicht, wie die Leidenschaft Euch beherrscht, mit
giftigem Flüstern Euch schmeichelt und den Weg zur Umkehr mit hinhaltenden Drohungen Euch versperrt, wie sie
Euch der Knechtschaft im Gesetze der Sünde unterwirft
und Euch hindert, den heiligen, der natürlichen Gerechtigkeit nachgebildeten Gesetzen zu gehorchen, deren Be-
folgung, wenn sie eine willige und freie ist, nicht nur
keine Dienstbarkeit genannt werden kann, sondern vielmehr den tiefer Aufmerkenden auf Das, was sie wirklich
ist, als die höchste Freiheit sich offenbart; denn was ist
diese letztere anders als des Willens ungehindertes Fortschreiten zur That? und eben dieses gewähren die Gesetze ihren Getreuen. Sind nun also Diejenigen wahrhaft frei, welche dem Gesetze des freien Willens gehorchen;
welchen wollt Ihr Euch zuzählen, die Ihr, die Liebe zur
Freiheit vorschützend, gegen jegliches Gesetz Euch wider
den Fürsten der Gesetze verschwört?

6. O beklagenswerther Samen von Fäsulá; o wieder-
kehrende Zeit der Finsterniß! Erfüllt Euch das Gesagte
noch nicht mit genügender Furcht? Nein, ich bin überzeugt, daß, wenn Ihr auch in Geberden und lügenhaften
Worten Hoffnung heuchelt, Ihr wachend zittert und aus
Euern Träumen häufig aufschreckt, sei es, daß Ihr Euch
vor den Euch offenbarten Ahnungen entsetzt, oder sei es,
daß Ihr der Rathschläge des Tages gedenkt. Aber wenn
Ihr mit Recht zittert, und ohne daß Ihr klagt, Euer
Wahnsinn Euch gereut, dann bleibt Euch übrig, damit
die Bäche der Furcht und des Schmerzes zu tiefer Reue
zusammenfließen, Euren Herzen einzuprägen, daß dieser

Träger des römischen Reichs, Heinrich, der Vergötterte, der Triumphator, nicht aus Durst nach seinem besondern sondern nach dem öffentlichen Heil der Welt, dieß schwierige Amt für Euch übernimmt, freiwillig unsre Strafe zu der seinigen machend, als ob nach Christi Zeit, Jesaias auf ihn mit prophetischem Finger gezeigt habe, da er mit der Offenbarung des göttlichen Geistes sprach: „Wahrlich, er trug unsre Schwachheit, und lud auf sich unsre Schmerzen." So sehet Ihr denn, daß die Zeit der bitteren Reue über Euer freches Beginnen, wenn Ihr Euch nicht verstellen wollt, da ist. Aber die späte Reue wird Euch dann nicht der Same der Verzeihung, vielmehr der Anfang frühzeitiger Züchtigung sein; denn der Sünder wird mit Ruthen gestrichen, damit er ohne Widerstand umkehre.

Geschrieben am 31. März von den Grenzen Tusciens an der Quelle des Arno im ersten Jahre der heilbringenden Rückkehr des Cäsars Heinrich nach Italien.

---

## VII.  An den Kaiser Heinrich VII.
### (1311.).

Dieser Brief ist nur wenige Tage nach dem vorhergehenden geschrieben, und zeichnet sich eben so sehr durch die darin sich aussprechende Gesinnung, als durch den Scharfblick aus, mit welchem Dante die Angelegenheiten Italiens betrachtet und demzufolge in den Kaiser bringt seinen Zug in das Innere von Italien und namentlich nach Florenz als dem Sitz des Aufruhrs und der Gegenpartei zu beschleunigen. Heinrich war nämlich im Herbste des Jahres 1310 nach Italien gekommen und das Glück schien ihn zuerst zu begünstigen. Viele Städte fielen ihm bei oder versöhnten sich mit ihm; im September empsing er die eiserne Krone zu Mailand, und es sehlte ihm nicht an Macht, schnell vorwärts zu gehen. Aber aus Vorsicht wollte er sich den Rücken decken und erst die ihm feindlich gesinnten und sich ihm widersetzenden Städte Oberitaliens, namentlich Vicenza, Padua, Cremona, Brescia erobern. Aber die Belagerung kostete Zeit, und Dante, welcher diese Zögerung für ein falsches Verfahren hielt, war kühn genug, ihm dieß in diesem Briefe vorzustellen und ihn in den stärksten Ausdrücken zur Eile anzutreiben. Der Erfolg lehrte, wie richtig die Ansicht Dante's gewesen war. Die Schilderung, welche die zweite Hälfte dieses Briefes von Florenz enthält, hat den Feinden des Dichters Veranlassung gegeben, ihn des Zorns und der Rachsucht gegen seine Vaterstadt anzuklagen, aber mit Unrecht. Denn sie ist der Wahrheit gemäß und aufs höchste patriotisch, insofern er für die Erhaltung, für das Heil und den Frieden Italiens und des römischen Reiches seine mehr noch jammernde als donnernde Stimme erhebt.

\*　　\*　　\*

Dem allerheiligsten Triumphator und einigem Herrn, Herrn Heinrich, durch Gottes Gnaden Könige [1] der Römer, allezeit Mehrer des Reichs, küssen die Füße alleruntertänigst Dante Alighieri, der unschuldig Verbannte, und alle den Landfrieden liebenden Tuscier insgesammt.

1. Als Zeugniß seiner unendlichen Liebe hat uns Gott das Erbe des Friedens hinterlassen,[2] damit in seiner wundersamen Milde die Mühsale des Krieges sich sänftigten und wir im Genuß desselben der Freuden des triumphi-

---

[1] Könige, weil er erst am 29. Junius als Kaiser gekrönt wurde.　[2] Joh. 14, 27. „Meinen Frieden laß' ich euch.‟

renden Vaterlandes würdig würden. Aber die Scheel=
sucht des alten unversöhnlichen Feindes, der dem mensch=
lichen Wohlergehen stets und insgeheim nachstellt, hat
dadurch, daß er Einigen mit ihrem Willen das Erbe
nahm, uns Andre wider unsern Willen ruchlos beraubt.
Daher haben wir schon lange über die Fluten der Ver=
wirrung Thränen vergoßen, und flehten die Schirm=
herrschaft des gerechten Königes unverzüglich an, daß er
die Trabantenschaar des grausamen Tyrannen zerstreue
und uns in unsre alten Rechte einsetze. Und als Du,
Nachfolger des Cäsar und Augustus, die Kuppen des
Apennins überspringend, die ehrwürdigen Fahnen des
Tarpejums, zurückgebracht hast, sind sofort unsre langen
Seufzer verstummt und die Ueberschwemmungen der Thrä=
nen zurückgewichen, und hat, wie ein aufgehender er=
sehnter Titan, eine neue Hoffnung besserer Zeiten Ita=
lien bestralt. Da sangen Viele mit Maro [1] ihren Ge=
lübden durch Jubel zuvorkommend, so die Saturnischen
Reiche wie die Rückkehr der Jungfrau.

2. Aber weil unsre Sonne (raune uns dies ins Ohr
die Brunst des Verlangens oder der Mund der Wahr=
heit) schon stille steht, wie man glaubt, oder rückwärts
geht, wie man vermuthet, als ob aufs neue Josua [2] oder
des Amos Sohn geböte, werden wir fürwahr zu zwei=
feln angetrieben und in die Frage des Vorläufers [3] mit den
Worten auszubrechen: „Bist Du es, der da kommen
wird, oder sollen wir eines Andern warten?" Und ob=
gleich ein langer Durst wüthend in Zweifel verkehrt das,
was gewiß ist, weil es nahe ist, wie es zu gehen pflegt:
glauben wir und hoffen wir nichts desto weniger auf Dich,
und schauen unverrückt in Dir den Diener Gottes und
den Sohn der Kirche und den Beförderer des römischen
Ruhmes. Und ich, der ich sowohl für mich wie für
Andre schreibe, habe, wie es der kaiserlichen Majestät

---

[1] Virg. Bucol. 4, 6.   [2] Josua 10, 13   [3] Luk. 7, 19.

wohlansteht, gesehen und gehört die Fülle Deiner Milde
und Gnade des Tages, wo meine Hände Deine Füße be-
rührten und meine Lippen ihren Zoll darbrachten. Da
frohlockte meine Seele in mir, und stillschweigend sprach
ich in meinen Herzen: „Siehe, das ist Gottes Lamm,
welches der Welt Sünde trägt!"[1]

3. Aber welch träge Verspätung Dir im Wege sei,
wundern wir uns, sintemal Du schon längst im Thal
des Eridanus als Sieger nicht anders Tuscien allein
lässest, vergissest und vernachlässigst, als ob Du vermeinst,
das Recht der Beschützung des Reichs begrenze sich auf
das Gebiet der Ligurer; und gar nicht, wie uns dünkt,
aufmerkend, wie die römische Macht nicht von den Schranken Italiens, nicht von dem Rande des dreigehörnten
Europa's eingeschlossen wird. Denn, wenn sie gleich, Gewalt erleidend, ihr Steuerruder von allen Seiten her
zurückzog, gestattet sie dennoch kaum, nach unverletzlichem
Rechte die Fluten der Amphitrite befahrend, von der
eitlen Welle des Oceans umgrenzt zu werden. Denn es
ist uns geschrieben:[2]

„Aufstehn wird von dem edelsten Stamm der trojanische Cäsar,
Daß er begrenze das Reich mit dem Meere, den Ruhm mit
den Sternen.

Und als Augustus verordnet hatte, daß alle Welt
geschätzt werde, (wie der Stier,[3] von der Flamme des
Feuers auflodernd, mit brüllendem Laute des Evangeliums verkündigt), wenn nicht von dem Hofe gerechtester
Herrschaft das Gebot ausgegangen wäre, würde der ein-
geborene Sohn Gottes, der da Mensch ward, um vermöge der angenommenen Natur sich dem Gebote gehorsam zu erweisen, niemals von einer Jungfrau geboren
zu werden gewillt gewesen sein, sintemal er nicht Ungerechtigkeit gerathen haben würde, dem es ziemte, alle
Gerechtigkeit zu erfüllen.

---

[1] Joh. 1, 29. [2] Birg. Xen. 1, 286. [3] Luk. 2, 1.

9*

4. Scham erfülle deswegen, auf der engsten Tenne der Welt umgarnt gehalten zu werden, den, welchen die ganze Welt erwartet; und es entgehe dem Scharfblicke des Augustus nicht, daß die toskanische Tyrannei im Vertrauen auf die Säumniß Stärke gewinnt, und, täglich den Uebermuth der Böswilligen aufmunternd, neue Kräfte sammelt, Verwegenheit der Verwegenheit hinzufügend. Es donnere abermals jenes Wort des Curio an den Cäsar:[1]

„Während, befestiget nicht, noch gestärkt, die Parteien erzittern, Scheuche die Rast; stets schadete Dem, der gerüstet ist, Aufschub. Gleiches Bemühen und Furcht wird mit größeren Kosten erkaufet.''

Es donnere jenes Wort, das aus den Wolken her abermals den Aeneas mahnt:[2]

„Wenn Dich die Glorie nicht aufregt so gewaltiger Dinge, Und nicht um eigenen Ruhm zu dem Werke Du selber Dich anschickst:
Doch den Askan, den erblühenden, schau, und des Erben Julus Hoffnungen, dem das italische Reich und die römischen Reiche Zustehn.''

5. Denn Johannes,[3] Dein königlicher Erstgeborner und König, dessen nach dem Untergang des aufgehenden Tages die stellvertretende Nachkommenschaft der Welt harrt, ist uns ein zweiter Askanius, der, die Spuren des großen Erzeugers im Auge habend, gegen die Turnus allethalben wie ein Löwe wüthen, und gegen die Lateiner wie ein Lamm milde sein wird. Vorbeugen mögen sie den hohen Rathschlüssen des allerheiligsten Königs, daß nicht der himmlische Richterspruch Samuel's aufs neue sich schärfe:[4] „Ist's nicht also, da Du klein warest vor Deinen Augen, wurdest Du das Haupt unter den Stämmen Israels? Und der Herr salbte Dich

---

[1] Lukan's Pharsal. 1, 280. [2] Aeneid. 4, 272. [3] Der König von Böhmen, damals 12 Jahre alt. [4] 1. Samuel. 15, 17.

zum Könige über Israel, und der Herr sandte Dich auf den Weg und sprach: Ziehe hin und tödte die Sünder, die Amalekiter!" Denn auch Du bist zum Könige geweiht, damit Du die Amalekiter tödtest, und des Agag nicht schonest, und Ihn rächest, der Dich gesandt hat, an dem viehischen Volk und an seiner festlichen Feier, die ja nach den Amalekitern und dem Agag schmecken, wie das Gerücht sagt.

6. Verweilest Du in Mailand so den Frühling wie den Winter, und wähnst Du die giftige Hyder durch Abschlagen der Köpfe zu vertilgen? Wenn Du der Großthaten des ruhmvollen Alciden gedacht hättest, würdest Du erkennen, daß Du getäuscht werdest wie er, dem das giftige Thier, immer mehr Häupter hervortreibend, zum Schaden anwuchs, bis der Hochherzige die Quelle des Lebens traf. Denn nicht frommt es, um die Bäume zu entwurzeln, daß man die Aeste abhaue, weil sie aufs Neue durch den Saft des Erdreichs nur um so häufiger Zweige treiben, so lange die Wurzeln noch unversehrt sind, um Nahrung zu saugen. Was, o einziger Fürst der Welt, wirst Du sagen können, vollbracht zu haben, wenn Du den Nacken des störrischen Cremonas gebogen haben wirst? Wird nicht wider Vermuthen die Wuth in Brescia oder Pavia emporschwellen? Gewiß, sie wird! Und wiederum wenn die Geißel sie dort zur Ruhe gebracht hat, sofort wird eine andre zu Vercelli oder Bergamo oder anderwärts von neuem emporschwellen, bis die Wurzel dieser Abtrünnigkeit vertilgt ist, und wenn die Wurzel eines solchen Irrsals ausgereutet ist, mit dem Stamme die stehenden Zweige verdorren.

7. Weißt Du nicht, trefflichster unter den Fürsten, und nimmst Du nicht wahr von dem Gipfel der Warte Deiner Hoheit, wo das Füchslein solches Gestankes, gesichert vor den Jägern, sich verbirgt? Freilich nicht aus dem stürzenden Po, nicht aus der Tiber trinkt das verbrecherische, wohl aber die Fluten des strömenden Arno

vergiftet bis jetzt sein Rachen, und Florenz (weißt Du
es etwa nicht!?) Florenz heißt das gräuliche Schandthier.
Sie ist die Natter, die sich gegen die Eingeweide ihrer
Mutter kehrt, sie ist die faulende Bestie, welche die
Heerde ihres Herrn mit Ansteckung befleckt; sie ist die
lasterhafte und gottlose Myrrha, welche nach den Umarmungen ihres Vaters Cynaras entbrennt; sie ist jene
ungeduldige Amata, welche zurückstoßend die schicksalge-
gotene Vermählung, den schicksalverbotenen Eidam [1] zu
wählen nicht scheute, sondern wie eine Furie ihn zum
Krieg herbeirief, und zuletzt, ihr übles Wagniß zu büßen, mit dem Seil sich erhenkte. Wahrlich, mit natter-
hafter Wildheit sucht sie die Mutter zu zerfleischen, indem
sie die Hörner des Aufruhrs gegen Rom wetzt, das sie
zu seinem Bilde und Gleichniß schuf. — Wahrlich, mit
dem Brodem des Eiters haucht sie verpestenden Dampf
aus, von welchem die benachbarten Schafheerden ohne
ihr Wissen hinschwinden, indem sie mit dem Köder falscher
Schmeicheleien und Erdichtungen die nächsten sich zuge-
sellt und die Zugesellten bethört. Wahrlich auch für die
Umarmungen ihres Vaters lodert sie, indem sie sucht mit
verruchter Keckheit Dir die Zustimmung des höchsten
Oberbischofs, der der Vater der Väter ist, mit Gewalt
zu entreißen. Wahrlich, der Satzung Gottes widerstrebt
sie, den Götzen des Eigenwillens anbetend, wenn sie mit
Verschmähung des gesetzmäßigen Königs nicht erröthet,
die Sinnlose, dem Könige, der nicht der ihrige ist, Rechte,
die nicht die ihrigen sind, für eine zu ihren Unheil zu
übende Gewalt als Friedensbedingungen anzubieten. Aber
des Strickes sei gewärtig das verwilderte Weib, um sich
daran zu erhenken. Denn oft wird Jemand den hals-
starrigen Sinn hingeben, damit er, hingegeben, Das thue,

---

[1] Mit Kopisch auf den König Robert von Sicilien zu beziehen; wie auch nachher „der König, der nicht der ihrige ist;“
der gesetzmäßige ist der Kaiser.

was sich nicht geziemt. Und sind gleich die Thaten un=
gerecht, so erkennt man doch, daß die Strafen gerecht sind.

8. Auf denn, laß ab von Deiner Säumniß, Du er=
habener Stamm Isai's, schöpfe Dir Vertrauen aus den
Augen Detnes Herrn, des Gottes Zebaoth, vor welchem
Du handelst, und wirf diesen Goliath[1] mit der Schleu=
der Deiner Weißheit und mit dem Stein Deiner Kraft
danieder; denn bei seinem Fall wird die Nacht und der
Schatten der Furcht das Lager der Philister[2] bedecken;
die Philister werden fliehen, und Israel[3] wird frei sein.
Dann wird unser Erbtheil, welches wir ohne Unterlaß
als uns beraubt beweinen, uns wiedergegeben werden.
Und wie wir jetzt, der hochheiligen Stadt Jerusalem ein=
gedenk, als Verbannte in Babylon, seufzen, so werden
wir dann als Bürger und im Frieden wiederaufathmend,
des Jammers der Verwirrung frohlockend uns erinnern.

Geschrieben in Tuscien an der Quelle des Arno am
sechszehnten Tage des Monats April 1311 im ersten
Jahre des heilbringenden Zuges Heinrich's, des gotter=
füllten, nach Italien.

------

## VIII, IX, X. An Margaretha von Bra-
## bant, Gemahlin des Kaisers Heinrich VII.,
## im Namen der Gräfin Katharina von
## Battifolle.

### (1311.)

Ueber diese drei kürzesten unter den neuaufgefundenen
Briefen Dante's sagt Witte: „Sie sind nicht mit Dante's

------

[1] Florenz.   [2] Die kleineren Städte Italiens.   [3] Italien oder
die ganze Christenheit.

Namen bezeichnet, sondern in dem der Gräfin G. [1]
(die Handschrift enthält blos den Anfangsbuchstaben) von
Battifolle an Heinrich VII. Gemahlin, die Kaiserin Mar=
garetha (von Brabant) gerichtet. Unter ihnen ist wie=
der der letzte und offenbar jüngste von Poppi im oberen
Arnothal den 18. Mai 1311 datirt. Der erste könnte
vielleicht noch aus dem Sommer 1310 herrühren, wo
Heinrich's Boten nach verschiedenen Richtungen Italien
durchzogen und die Entfremdeten zu gewinnen, die Wohl=
gesinnten aber zu ermuthigen strebten. Der Inhalt be=
schränkt sich auf gerührten Dank für die besondere Gnade,
mit der die Fürstin von ihres Gemahls und ihrem eige=
nen Ergehen Nachricht ertheilt hat. Der zweite Brief
spricht in lebhaften Ausdrücken die theilnehmende Freude
der Briefstellerin über die glücklichen Erfolge aus, welche
die Kaiserin ihr gemeldet (vielleicht die Ereignisse in
Asti, Nov. 1310), und endlich der dritte enthält fernere
Versicherungen der Theilnahme an den glücklichen Fort=
schritten, und der Ergebenheit, denen sich, auf ausdrück=
liches Verlangen der Fürstin, kurze Mittheilungen über
das Befinden der Schreibenden, ihres Mannes und ihrer
Kinder anschließen. [2] — So sehen wir denn Margarethen,
des Kaisers treue Gefährtin in des Zuges Mühen und
Gefahren, auch schon von ferne klug bemüht, der Sache
ihres Gemahls durch ein huldreiches Wort zur rechten
Stunde selbst unter dem guelfischen Adel Anhänger zu
gewinnen. Die Briefstellerin nennt sich in diesen Schrei=
ben „Pfalzgräfin von Toskana," ein Titel, den sich
sämmtliche Grafen Guidi der verschiedenen Linien bei=
legten. Vermuthlich haben wir in ihr die Gemahlin des

---

[1] Torri hat C. und nennt sie Catherina. [2] Torri, dem ich
folge, hat die Briefe anders geordnet als Witte. Die Nachrichten
über das Befinden der Briefstellerin und ihrer Familie sind in dem
ersten und der Dank für die Nachrichten von des Kaisers und der
Kaiserin Wohlbefinden im zweiten der nachfolgenden Briefe ent=
halten.

Guido, also die Mutter des „Fegefeuer VI, 17" genannten Federigo Novello zu erkennen. Daß aber Dante
der eigentliche Verfasser sei, wird aus mehren, in seinen
lateinischen Schriften häufig wiederkehrenden Worten und
Wendungen und aus dem Umstande wahrscheinlich, daß
der Dichter eben um diese Zeit sich im obern Arnothal
bei den Grafen Guidi aufgehalten. Dabei aber, wie
Troya thut, eine Gefangenschaft Dante's im Thurme
von Porciano anzunehmen, dazu dürfte nicht der min-
deste Anlaß sein."

\*   \*   \*

1. Der Durchlauchtigsten und Gütigsten Frau Margaretha,
nach göttlichem Walten Kaiserin der Römer und allezeit Mehrerin des Reichs, entbietet ihre treueste C. von Battifolle, von
Gottes Gnaden und kaiserlicher Herablassung Pfalzgräfin von
Tuscien, mit eifrigster Empfehlung sich selbst sammt bereit-
willigstem Dienste in tiefster Beflissenheit.

Als Euer Durchlaucht briefliche Zeilen sich den Augen der Schreiberin dieses und Glückwünscherin darboten,
erfuhr meine lautere Treue, wie sehr sich das Herz treuer
Untergebener bei den glücklichen Ereignissen ihrer Gebieter mitfreue. Denn aus dem Inhalte derselben entnahm
ich mit voller Herzenserquickung, wie heilbringend die
Rechte des allerhöchsten Königes die Wünsche des Cäsars
und der Augusta erfüllte. Nachdem ich nun den Grad
meiner Treue erprobt habe, wage ich auch mich dem
Geschäft der Bittstellerin zu unterziehen, und rufe in das
Ohr Eurer Hoheit die demüthigste Bitte und das in-
ständigste Anliegen, daß Ihr geruhet, mit dem Auge
des Geistes die einstweilige Probe meiner lauteren Treue
zu betrachten. Aber weil einige der königlichen Ausdrücke
mich aufzufordern schienen, sobald sich Gelegenheit der
Botschaft darböte, Eurer Königlichen Hoheit etwas mit

9\*\*

Vorwahl von der Beschaffenheit meiner Lage mitzutheilen, so will ich, obgleich ein Schein von Anmaßlichkeit es verbietet, auf Antrieb der Tugend des Gehorsams dennoch gehorchen. Höre denn, da sie es befiehlt, die gütige und milde Majestät der Römer, daß zur Zeit der Absendung gegenwärtiger Zeilen mein vielgeliebter Gemahl und ich durch die Gabe Gottes uns wohl befanden im Genuß der Gesundheit unsrer Kinder und über das gewohnte Maß um so froher, je glücklichere Zeiten die Zeichen der neu sich erhebenden Herrschaft versprachen.

Abgesandt aus der Feste Poppi am 16. Mai im ersten Jahre des heilbringenden Zuges des Cäsar Heinrich nach Italien.

---

2. Der Ruhmreichsten und Gnädigsten Frau, Frau Margaretha, nach göttlichem Walten Königin der Römer und allezeit Mehrerin des Reiches, legt C. von Battifolle, durch Gottes und begleitender Hochherrlichkeit Gnade Pfalzgräfin von Tuscien, die Pflicht ihrer eben so schuldigen als ergebenen Unterwürfigkeit zu Füßen.

Der vielwillkommene Brief Eurer Königlichen Leutseligkeit wurde eben so sehr von meinen Augen freudig erblickt, als von meinen Händen geziemendermaßen ehrfurchtsvoll empfangen; und als die Mittheilungen durch den Scharfblick des Geistes hindurchdringend sich versüßten, erglomm die Seele der Leserin von der Glut der Ergebenheit so sehr, daß niemals Vergessenheit den Sieg davon tragen und nie das Gedächtniß ohne Freude dessen gedenken kann. Denn was und wie bin ich, daß des tapfersten Cäsars Gattin sich herabläßt, mir von ihres Gatten und ihrem eigenen (gebe Gott dauerhaften) Wohlergehn zu erzählen? Dem solcher Ehre Gewicht forderten weder die Verdienste der Glückwünscherin, noch ihre eigene Würde, noch ziemte es so sehr hinabzubeugen

menschlicher Rangstufen Gipfel, von wannen, wie aus
einem lebendigen Quell, heiligen Bürgerthums Beispiele
für die Niederen sich ergießen müssen. Würdigen Dank
abzustatten steht nun nicht in des Menschen Macht, aber
nicht misziemt es dem Menschen, glaube ich, Gott um
Ergänzung seines Unvermögens anzuflehen. So werde
denn fortan des gestirnten Reiches Fürstenhof mit gerechten und frommen Bitten bestürmt und so erflehe es
die Gemüthsbewegung des Bittenden, daß der ewige
Regierer der Welt Belohnungen, die so große Herablassung ausgleichen, erstatte und zum Wahrzeichen des
Cäsar und der Augusta die Rechte seiner mitwirkenden
Gnade ausstrecke, daß Er, der dem Reiche der römischen
Oberhoheit barbarische Nationen und Bürger zum Schutz
der Sterblichen unterwarf, die Genossenschaft der bethörten Zeit unter den Triumphen und der Glorie seines
Heinrich zur Besserung umbilde.

---

3. Der gnädigsten und gütigsten Frau, Frau Margaretha,
durch himmlischen Erbarmens Anschaun Königin der Römer
und allezeit Mehrerin des Reichs, entbietet ihre ergebenste C.
von Battifolle, durch Gottes und kaiserliche Gnadenfülle Pfalzgräfin von Tuscien, mit unterthäniger Kniebeugung die schuldige
Pflicht der Ehrfurcht.

Des Königlichen Briefes gnadenreiche Beweise habe
ich nach Vermögen mit Verehrung empfangen und dienst-
beflissen eingesehen. Aber als ich die gesegneten Erfolge Eures beglückten Zuges mir traulich mitgetheilt sah,
welch eine Freude da die Seele der Empfängerin ergriff,
will ich lieber dem Stillschweigen, gleichsam als besserm
Boten anvertrauen, denn Worte genügen der Darstellung nicht, wo die Seele selbst wie trunken erliegt. Daher ergänze die Fassungskraft Eurer Königlichen Hoheit,

was das Unvermögen der Schreiberin nicht deutlich zu machen versteht. Aber wie unaussprechlich lieb und angenehm die Mittheilungen des Briefes auch waren, so vermehrt eine umfassendere Hoffnung noch die Ursachen der Freude und erfüllt zugleich gerechte Wünsche. Ich hoffe nämlich im Vertrauen auf die göttliche Vorsehung, welche, wie ich gewiß bin, niemals getäuscht oder gehemmt werden kann, und welche für das menschliche Bürgerthum durch einen ausgezeichneten Fürsten sorgte, daß die glücklichern Anfänge Eures Reiches immer gesegneter fortschreiten werden. So also ob Gegenwart und Zukunft frohlockend, kehre ich unverweilt zur Gnade der Augusta zurück und flehe mit zeitgemäßem Anliegen, daß Ihr geruhet, mich unter den sichern Schatten Eurer Hoheit zu nehmen, dergestalt, daß ich vor der Glut der Afterrede eines Jeglichen stets geschützt bin und zu sein scheine.

---

## XI. An Guido von Polenta.

### (1313.)

Die Echtheit dieses Briefes ist sehr zweifelhaft. Er erschien in einer von Antonio Francesco veranstalteten Sammlung von prosaischen Schriften verschiedener Verfasser zum erstenmal gedruckt im Jahr 1547 und ist der Unterzeichnung nach am 30. März 1313 geschrieben, ein Bericht an Guido von Polenta über den Erfolg einer Gesandtschaft nach Venedig, womit ihn dieser beauftragt hatte. Die Venetianer werden darin als ganz Ungebildete dargestellt, die weder Lateinisch noch Italienisch verstännden, und die Gesandtschaft hatte eben so schlechten Erfolg, wie die, welche Dante kurz vor seinem Tode in

Auftrag deſſelben übernahm und die ſeinen Tod veran-
laßte. Dieſe beiden Geſandtſchaften ſind alſo nicht zu
verwechſeln. Zu verwundern iſt aber, daß Dante während
des ſieghaften Zuges Heinrich VII. nach Italien, mit
welchem für die Ghibellinen und alſo auch für Dante
neue Hoffnungen aufgingen, ſich in den Schutz einer
guelfiſchen Familie zu Ravenna begeben, denn Guido
war ein Guelfe, oder wenigſtens einen Auftrag von derſelben übernommen habe. Sodann iſt es auch ſeltſam,
daß dieſe Geſandtſchaft beſtimmt war dem Dogen So-
ranzo zu Venedig zu ſeiner Erhebung Glück zu wünſchen,
da dieſe doch ſchon in dem vorhergehenden Jahre erfolgt war.

\*    \*    \*

Dem Hochgebornen Herrn Guido von Polenta, Gebieter von
Ravenna.

Eher hätte ich alles Andere zu ſehen erwartet als
Das, was ich mit meinen leiblichen Augen geſehen und
gefunden habe von der Beſchaffenheit des hieſigen erhabenen
Herrſcherthums. Verringert hat die Gegenwart den Ruf, [1]
um mich der Worte Virgil's zu bedienen. Ich hatte mir
im Stillen eingebildet dort zu finden jene edlen und hochherzigen Katonen und jene ſtrengen Richter verderbter
Sitten, kurz alles Das, was ſie mit Erheuchelung eines
pomphaften Weſens in ihren Perſonen darzuſtellen, dem
armen und betrübten Italien glaubhaft machen wollen.
Laſſen ſie ſich nicht Herren der Welt und Volk des Friedens nennen? Unglücklicher in der That und übel ge-
leiteter Haufe! ſeit du ſo übermüthig unterdrückt, ſo nie-
derträchtig geknechtet, ſo grauſam gequält wirſt von dieſen
Neulingen, den Zerſtörern der alten Geſetze, den Ur-

---

[1] Minuit praesentia famam, aber nicht Worte Virgil's, ſondern Claudian's.

hebern ungerechter Verderbniſſe! Aber was ſoll ich Euch
ſagen, Gebieter, von der ſtumpfen und thieriſchen Unwiſſenheit dieſer ernſten und ehrwürdigen Väter? Um
Eurem Hochſinn und meinem eigenen Anſehen nicht zu
nahe zu treten, wollte ich, als ich vor die Augen dieſer
ergrauten und reifen Verſammlung trat, meines Geſchäfts
und Eures Auftrages mich in derjenigen Sprache entle-
digen, welche zugleich mit der Herrſchaft des ſchönen
Auſoniens ſich allethalben hin verbreitet hat und mit
Abweichungen ſtets verbreiten wird, in der Meinung, ſie
in dieſem äußerſten Winkel in ihrer Majeſtät angeſeſſen
zu finden, um ſich ſodann zugleich mit deren Einrichtungen
wenigſtens über ganz Europa auszudehnen: aber ach! nicht
anders erging es mir neuem und unbekanntem Pilger,
als wenn ich dahin gekommen wäre von dem äußerſten
weſtlichen Thule; ja ich hätte wohl eher dort einen Dol-
metſcher fremder Mundart finden können, wenn ich von
den fabelhaften Gegenfüßlern gekommen wäre, der ich
mit der römiſchen Wohlredenheit meines Mundes nicht
angehört wurde; denn nicht ſobald hatte ich mit einigen
vorher erwogenen Worten angefangen in Eurem Namen
meine Freude über die neue Wahl (des hochpreislichen
Doge) auszudrücken: Lux orta est justo et rectis corde
laetitia [1] — als man mir hieß, entweder einen Dolmet-
ſcher zu nehmen oder die Sprache zu tauſchen. So, halb
verlegen, halb ärgerlich, ich weiß nicht welches mehr,
fing ich an ein Weniges in derjenigen Sprache vorzu-
tragen, die mich ſeit den Windeln begleitet; welche ihnen
jedoch nicht eben mehr bekannt und vertraut war als
die lateiniſche. Statt ihnen alſo Freude und Vergnügen
zu bringen, ſäte ich in das ſo fruchtbare Feld ihrer Unwiſſenheit den üppigen Samen der Verwunderung und der
Verwirrung. Auch darf man ſich nicht wundern, daß

---

[1] Licht iſt dem Gerechten aufgegangen, und den Rechtſchaffe-
nen Freude.

sie die italienische Sprache nicht verstehen: denn, abstam-
mend von dalmatischen und griechischen Voreltern, haben
sie in unser edles Land nichts als die schlechtesten und
tadelhaftesten Gewohnheiten mitgebracht, und obenein den
Schmuz jeder zügellosen Ueppigkeit. Darum erachtete
ich es, Euch diesen kurzen Bericht von der mir anvertrauten Gesandtschaft zu geben, mit der Bitte, obgleich
ich gänzlich von Euren Befehlen abhänge, mit ähnlichen
Aufträgen mich ins künftige gütigst zu verschonen, von welchen ich weder Ehre für Euch, noch Befriedigung für mich
hoffen kann. Ich werde mich hier noch einige Tage auf-
halten, um meinen nach der Neuheit und Schönheit der
hiesigen Gegend lechzenden Augen eine Weide zu gönnen,
und werde mich sodann in den holden Hafen meiner
Muße begeben, welche von Eurer Königlichen Huld so
freundlich in Schutz genommen wird.

Venedig, den 30. März 1313.

Euer unterthäniger Diener Dante Alighieri
der Florentiner.

---

## XII. An die italienischen Kardinäle.

### (1314.)

Nach dem am 20. April 1314 erfolgten Tode des
Papstes Clemens V., der seinen Sitz zu Avignon gehabt
hatte, versammelten sich 24 Bischöfe zu Carpentras in
der Provence zur neuen Wahl. Nur sechs davon waren
Italiener, und es gelang ihnen nicht, den päpstlichen
Stuhl nach Rom zurückzubringen, obgleich dies, mit Ausnahme Frankreichs, fast in der ganzen Christenheit, besonders aber in Italien, sehnlich gewünscht wurde. Ja

er blieb, da die Kardinäle uneins wurden, zwei Jahre sogar unbesetzt, und die Verwirrung stieg um so mehr, da in Deutschland zwei Gegenkaiser, Ludwig von Baiern und Friedrich von Oesterreich, sich die weltliche Oberherrschaft streitig machten. Noch in dem Todesjahr des Papstes Clemens schrieb Dante diesen Brief, in welchem er dem allgemeinen Verlangen seine kräftigen Worte leiht.

\*    \*    \*

**Den italienischen Kardinälen Dante Alighieri aus Florenz.**

1. „Wie sitzet einsam die Stadt, die volkreiche: wie eine Wittwe ist geworden die Herrin der Völker!" [1] Einst verpflanzte der Pharisäer Fürstenbegierde, das alte Priesterthum beschimpfend, den Dienst des Levitischen Stammes nicht nur, sondern bereitete auch dem auserwählten Volke David's Belagerung und Verderben. Er aber, der allein ewig ist, dies von der Warte der Ewigkeit schauend, erfüllte die gotteswürdige Seele des prophetischen Mannes auf sein Geheiß mit dem heiligen Geist und er beweinte das heilige beinahe zerstörte Jerusalem mit obigen Worten, die sich ach! nur zu sehr wiederholen.

2. Auch uns, die wir denselben Vater und Sohn, denselben Gott und Menschen und dieselbe Mutter und Jungfrau bekennen, deretwegen und zu deren Heil zu dem der dreimal wegen seiner Liebe gefragt wurde, gesagt worden ist [2]: „Petrus, weide den hochheiligen römischen Schafstall" — —, uns betrübt es, Rom (dem nach so vielen Triumphzügen durch Worte und Werke Christus die Weltherrschaft bestätigte; das auch jener Petrus und Paulus, der Heidenbekehrer, zum Apostelsitze durch das eigene vergossene Blut einweihte; das wir jetzt mit Jeremias, nicht mit der Klage nachkommend, son-

---

[1] Klagelieder Jeremiä 1, 1.   [2] Joh 21, 15—17.

dern ihm nachklagend, als verwittwet und verlassen zu beklagen gezwungen werden), ach nicht minder als den kläglichen Bezirk der Ketzereien zu schauen.

3. Der Gottlosigkeit Begünstiger, Juden, Saracenen und Heiden, verlachen unsern Gottesdienst, und rufen, wie verlautet: „Wo ist ihr Gott?" Und vielleicht schreiben sie dies ihrer Hinterlist und Gewalt gegen den Schutz der Engel zu: und was noch erschrecklicher ist, einige Sterndeuter und unreife Wahrsager heißen Das nothwendig, was Ihr, die Wahlfreiheit mißbrauchend, zu erwählen vorgezogen.

4. Ihr nun, gleich Hauptleuten der streitenden Kirche vorgesetzt, unbekümmert den Wagen der Braut auf der offenbaren Spur des Gekreuzigten zu leiten, seid gleich jenem falschen Wagenlenker Phaeton aus dem Geleise gewichen, und habt, wiewol es Euch zukam, der nachfolgenden Heerde die Wildnisse dieser Pilgrimschaft zu lichten, sie selbst zugleich mit Euch in den Abgrund gerissen. Und nicht zur Nachahmung zähle ich Euch Beispiele auf, da Ihr Rücken, nicht Mienen für das Fuhrwerk der Braut habt, und in Wahrheit diejenigen Priester genannt werden könnet, die sich dem Tempel abkehrten[1]: Euch, die Ihr das Feuer vom Himmel fallen sehet, wo jetzt Altäre von fremdem Feuer erglühen; Euch, die Ihr Tauben in den Tempeln verkauft, wo Das, was durch keinen Preis ermessen werden kann, auf verderbliche Weise zum Tauschhandel feil geboten worden ist. Aber harret der Geißel,[2] harret des Feuers und verachtet nicht die Geduld Dessen, der Euch zur Reue erwartet. — Wenn Ihr aber an dem vorher euch kredenzten Abgrunde zweifelt, was soll ich Euch anders zur Erklärung antworten, als daß Ihr mit dem Demetrius dem Alcimus beipflichtet?[3]

5. Vielleicht werft Ihr erzürnt ein: Wer ist es, der

---

[1] Hesekiel 8, 16.　　[2] Joh. 2, 15.　　[3] 1 Makkab. 7, 9.

vor der plötzlichen Strafe Dza's [1] nicht zurückbebend zu
dem obwol wankenden Altar sich erhebt? Freilich ich
bin der von Jesus Christus geweideten Schafe eines der
kleinsten, der ich kein Hirtenansehen misbrauche, da ich
keine Reichthümer habe. Nicht also durch Reichthümer,
sondern durch Gottes Gnade bin ich, was ich bin, und
„der Eifer seines Hauses verzehrt mich." Denn auch in
dem Munde der Säuglinge und der Unmündigen ertönte
schon die gottgefällige Wahrheit, welche die Pharisäer
nicht nur verschwiegen, sondern auch boshaft zu bestreiten
versuchten. Durch diese habe ich die Ueberzeugung von
Dem, was ich höre. Ich habe überdies zum Lehrer den
Philosophen, der die ganze Sittenlehre vortragend alle
seine Freunde unterwies, die Wahrheit vorzuziehen. Auch
der Vorwitz des Dza, und wer möchte diesen gleichsam
unbesonnen hervorbrechenden zum Einwurf gebrauchen
wollen? möge sich nicht von dem Makel seines Frevels
rein waschen, weil er auf die Bundeslade, ich aber auf
die ausschlagenden und aus der Bahn weichenden Stiere
Acht habe.

6. Nicht also scheine ich Jemanden zum Zank gereizt,
sondern vielmehr die Röthe der Verwirrung sowol bei
Euch als auch bei Andern, die blos dem Namen nach
Archimandriten der Welt sind, (sofern nur nicht die
Scham gänzlich ausgereutet ist) entzündet zu haben, da
über so viele, wenn auch nicht vertriebene, doch vernach-
läßigte und auf den Weiden unbewachte Schafe nur eine
einzige Stimme, eine einzige fromme, und zwar eine
nicht öffentliche, als wäre es bei dem Leichenbegängniß
der Mutter Kirche, sich hören läßt.

---

[1] 2 Samuel. 6, 7—9. Nach Luther's Uebersetzung: Und da sie
kamen zur Tenne Nachon's, griff Usa zu und hielt die Lade Gottes,
denn die Rinder traten beiseit aus. Da ergrimmte des Herrn
Zorn über Usa, und Gott schlug ihn daselbst um seines Frevels
willen, daß er daselbst starb bei der Lade Gottes.

7. Ist es nicht so? Die Gier hat sich ein Jeglicher zur Gattin genommen, die niemals, wie die christliche Liebe, der Frömmigkeit und Gerechtigkeit, sondern immer der Gottlosigkeit und Ungerechtigkeit Gebärerin ist. Ach, heiligste Mutter, Braut Christi, welche Söhne gebierst du dir im Wasser vom Geist dir zum Erröthen! Nicht Caritas, nicht Afträa, sondern blutsaugende Töchter sind dir zu Schnüren geworden. Und welche Kinder dir diese gebären, das wissen außer dem Cunensischen Prälaten [1] Alle. Es liegt dein Gregorius von Spinnen umwebt; es liegt Ambrosius in den unbesuchten Schlupfwinkeln der Geistlichen, es liegt Augustinus, weggethan sind Dionysius, Damianus und Beda; aber den Spiegel, [2] den Innocentius und den von Ostia [3] führen sie im Munde. Warum? Jene suchten Gott als ihr Ziel und Heil, diese streben nach Geld und Pfründen.

8. Aber, o Väter; haltet mich nicht für einen Phönix auf Erden. Denn, was ich schwatze, murmeln, murren und träumen Alle; — und wer bezeugt nicht das Aufgedeckte? — Einige sind in Verwunderung befangen: werden auch diese immer schweigen, und ihrem Schöpfer nicht ihr Zeugniß geben? — Es lebt der Herr; und der Bileam's Eselin zum Sprechen brachte, der ist auch der Herr der neuzeitigen Thiere.

9. Schon bin ich geschwätzig geworden: Ihr habt mich dazu gezwungen. Schämet Euch denn, von der Erde, und nicht vom Himmel her, daß er Euch Eure Sünden vergebe, überführt und ermahnt zu werden. Recht freilich verfährt die Scham mit uns, wenn sie von der Seite bei uns anklopft, wo sie nebst den andern Sinnen auch das Gehör erfüllt, und in uns die Recht-

---

[1] Gherardinus Malaspina. [2] Der Rechtsspiegel von Wilhelm Durante gegen Ende des 13. Jahrhunderts. [3] Heinrich von Segusia, Kardinal von Ostia, schrieb einen Kommentar über die Dekretalen.

lichkeit, ihre erstgeborne, erzeugt, und denjenigen Vorsatz der Besserung in uns hervorbringt, den vielleicht eine edelmüthige Langmuth in Schutz und Schirm nehmen wird.

10. Die Stadt Rom, welche jetzt von beiden Lichtern verlassen ist, ein Gegenstand des Mitleidens für den Hannibal, geschweige für Andre, die da einsam sitzt und verwittwet, wie oben ausgesprochen wurde, — in welchem Zustande sie ist, das stellet nach dem Maß unsrer Einbildungskraft vor die Augen aller Sterblichen. Und Euch kommt dies am meisten zu, die Ihr als Kinder den heiligen Tiberstrom kanntet. Denn wenn gleich das Haupt Latiums von allen männiglich mit frommer Liebe zu umfassen ist als der gemeinschaftliche Urquell ihrer bürgerlichen Sittigung; so wird es doch mit Recht für Eure Pflicht gehalten, es auf das sorgsamste in Ehren zu halten, da sein Ursprung Euch das Dasein gegeben hat. Und wenn die übrigen Italer das gegenwärtige Elend mit Schmerz erfüllt und mit Schamröthe übergossen hat, wer möchte dann zweifeln, daß Ihr erröthen und jammern müßt, die Ihr die Ursache einer so großen Sonnenverfinsterung gewesen seid?

11. Du vor Allen, Ursus,[1] daß nur nicht die gunstberaubten Amtsgenossen Deinetwegen ruhmlos bleiben, und daß Jene der streitenden Kirche ehrwürdige Fahnen, die sie vielleicht nicht ausgedient, aber unverdient, mit Zwang niedergelegt hatten, auf das Ansehen der römischen Hoheit wiederaufnehmen möchten. Du auch, Anhänger der übertiberinischen andern Partei,[2] damit der

---

[1] Reapoleo Ursinus, Freund der Kolumnenser und Ghibellinen mit dem Kardinal von Ostia, stimmte getäuscht den übrigen Kardinälen bei im J. 1305 bei der Papstwahl. [2] Vielleicht Franciscus Gajetenus, schon früher ein Feind der Ghibellinen. Uebertiberinisch (transtiberina), insofern die Guelfen der Ehre und den Rechten Roms (der Tiber) zu nahe treten.

Zorn des verstorbenen Vorstehers in Dir wie ein Pfropf-
reis in fremdem Stamme Zweige triebe, hattest das gleichsam besiegte Karthago noch nicht von Dir gethan, konntest
Du diese Gesinnung dem Vaterlande der edlen Scipionen
vorziehen, ohne mit Dir selbst in Widerspruch zu gerathen?

12. Besser werden wir es (wenn es gleich nicht möglich ist, daß nicht ein Schandmal und Brandzeichen dem
apostolischen Stuhle verbleibe, und eine Versündigung
gegen ihn, dem Himmel und Erde gehören), wenn einmüthig Ihr alle, die Ihr die Urheber dieser Verwirrung
waret, für die Braut Christi, für den Sitz der Braut,
welcher Rom ist, für unser Italien, und, um es voll-
ständig zu sagen, für die ganze Pilgerschaft auf Erden
männlich vorkämpfet, damit Ihr aus den Schranken des
schon begonnenen Kampfes, die allseits von dem Rande
des Oceans beschaut werden, Euch selbst mit Ehre dar-
bietend ein „Ehre sei in der Höhe“ vernehmen könnet,
und damit die Schmach der Gaskogner, welche von so
grauser Begier entbrennend, den Ruhm der Lateiner sich
zuzueignen streben, für alle Jahrhunderte den Nachkommen
ein Beispiel sei.

---

## XIII. An einen florentinischen Freund.
### (1316.)

Im Jahr 1316, als sich Dante wahrscheinlich bei Can-
grande della Scala aufhielt, beschloß man in Florenz,
den Verbannten die Rückkehr zu erlauben unter der Be-
dingung, daß sie eine Summe Geldes zahlten und sich
feierlich begnadigen ließen am Altare der St. Johannes-
kirche. Sie gingen dann in feierlichem Zuge hinter dem

Münzwagen des heiligen Johannes, Mitren auf dem Haupt und brennende Kerzen in den Händen, und wurden so dem Heiligen dargestellt. Die della Tosa, die Rinecci und Manelli verschmähten es nicht sich im J. 1317 auf diese Weise begnadigen und vom Banne lösen zu lassen, in welchem Jahre das dritte Lustrum ihrer und der Verbannung Dante's zu Ende ging. Dante nahm aber diesen entehrenden Antrag nicht an, und der folgende wahrscheinlich an einen Geistlichen geschriebene Brief gibt von seiner Unschuld, wie von seinen Studien und seiner Seelengröße den besten Beweis.

\* \* \*

1. Aus Eurem mit schuldiger Ehrfurcht und Zuneigung empfangenen Briefe habe ich dankbar und mit fleißiger Ueberlegung ersehen, wie sehr Euch meine Wiedereinbürgerung in der Vaterstadt am Herzen liegt, und Ihr verpflichtet mich dadurch um so mehr, je seltener es Verbannten widerfährt, Freunde zu finden. Indem ich nun auf den Inhalt Antwort gebe, bitte ich inständig, daß, falls sie nicht so ausfiele, wie die Kleinmüthigkeit gewisser Leute es wünscht, Ihr sie auf die Wagschale Eurer Weisheit legen möget, bevor Ihr sie richtet.

2. Das ist es also, was mir in den Briefen Eures und meines Neffen, sowie anderer Freunde hinsichtlich der vor kurzem in Florenz angeordneten Verzeihung der Verbannten mitgetheilt wird, daß, wenn ich eine gewisse Geldsumme zahlen und den Schimpf der Darstellung leiden wolle, ich Verzeihung erlangen und sogleich zurückkehren könnte! — In diesem Vorschlag, mein Vater, sind jedoch zwei Dinge lächerlich und übel gerathen. Ich sage übelgerathen von Jenen, welche sie geschrieben haben; denn Euer Brief, der verständiger und bedächtiger verfaßt ist, enthält nichts von solcherlei Dingen.

3. Ist das der Ruhm, mit welchem man Dante

Alighieri in das Vaterland zurückruft, nachdem er fast drei Lustra die Verbannung ertragen hat? Auf solche Weise belohnt man seine Unschuld, die Niemand mehr verkennt? Auf solche Weise den Schweiß und die Arbeit, welche er auf Gelehrsamkeit verwandt hat? Fern sei von einem mit der Philosophie vertrauten Manne die unbesonnene Demüthigung eines irdischgesinnten Herzens, daß er nach Art eines Cioli und anderer Ehrlosen, gleichsam in Banden, es ertrüge sich zu stellen! Fern sei es von einem Manne, der die Gerechtigkeit predigt, daß er, der Beleidigte, seinen Beleidigern, als wären es seine Wohlthäter, Geld zahle!

4. Das ist nicht der Weg, mein Vater, ins Vaterland zurückzukehren. Aber wenn von Euch oder von Andern ein anderer Weg aufgefunden wird, der dem Rufe Dante's, der seiner Ehre nicht nachtheilig ist: so werde ich nicht säumen, ihn zu betreten. Wenn man nicht auf einem ehrenvollen Wege in Florenz eingehen kann, so werde ich nie wieder in Florenz eingehen. Und warum nicht? Werde ich nicht die Spiegel der Sonne und der Gestirne überall erblicken? Werde ich nicht überall unter dem Himmel den edelsten Wahrheiten nachforschen können, ohne daß ich mich ehrlos und sogar schmachbeladen wieder darbiete dem Volke und der Stadt von Florenz? — Und auch Brot, hoffe ich, wird mir nicht fehlen.

## XIV. An Can Grande Scaliger.

Can grande della Scala, Fürst zu Verona, geboren i. J. 1290, zuerst Mitregent seines Bruders, nachher Alleinherrscher, ein eifriger Ghibellin, deswegen auch vom Kaiser Heinrich VII. zum kaiserlichen Stellvertreter in Italien und 1318 von der Ghibellinischen Partei zum

Oberanführer sämmlicher Lombarden gegen die Guelfen und den Papst Johann XXI. ernannt, gestorben in der Blüthe seiner Jahre am 22. Julius 1329, acht Jahre nach dem Tode Dante's, war nach Boccaccio's Versicherung nicht nur einer der tapfersten, sondern auch einer der freigebigsten Herren von Italien. Sein Hof war die gemeinschaftliche Freistatt für alle durch Geburt oder Unternehmungen oder Wissenschaft und Kunst berühmten Männer, welche durch ein ungünstiges Schicksal gezwungen wurden, ihr Vaterland zu verlassen. Bei diesem edelmüthigen Beschützer aller Unglücklichen hielt sich auch Dante längere Zeit auf, ihn machte er mit seinem großen Gedichte bekannt und widmete ihm das Paradies. In welches Jahr aber dieser Brief fällt, ist bis jetzt nicht mit Gewißheit ermittelt, unstreitig aber in eines seiner letzten Lebensjahre. Es ist der längste und ausführlichste unter den Briefen Dante's, und ist besonders hinsichtlich der göttlichen Komödie sehr wichtig.

\*    \*    \*

Dem herrlichen und siegreichen Herrn Herrn, dem großen Can della Scala, dem allgemeinen Stellvertreter der geheiligten und milden Kaisermacht in der Stadt Verona und in dem Staate Vicenza, wünscht sein treuergebenster Dante Alighieri, ein Florentiner von Geburt, nicht von Sitten, ein glückliches Leben durch lange Zeiten und immerwährendes Wachsthum seines glorreichen Namens.

1. Eurer Herrlichkeit ruhmvolles Lob, welches der wachsame Ruf im Fluge aussäet, vertheilt sich auf Andere anders, sodaß es die Einen in Hoffnung seiner Seligkeit emporträgt, die Andern in den Schrecken der Vernichtung hinabstürzt. Diesen Heroldsruf, die Thaten jetzt lebender Menschen überragend, gleichsam über das Wesen der Wahrheit hinausgehend, hielt ich für übertrieben. Aber um nicht länger in Ungewißheit zu schwe-

ben, kam ich, wie die Königin von Morgenland nach
Jerusalem, wie Pallas zum Helikon kam, nach Verona,
um mit treuen Augen zu forschen. Eure überall ver-
nommenen Großthaten sah ich nun, sah zugleich die
Wohlthaten und berührte sie mit Händen; und gleichwie
ich früher die Reden für das Maß überschreitend hielt,
so sah ich späterhin die Thaten selbst das Maß überschreiten. So geschah es, daß das bloße Hören mit einer
gewissen innern Unterwürfigkeit zuerst meine Neigung ge-
wann, der Anblick aber sofort mich zum ergebensten
Freunde machte.

2. Auch glaube ich nicht, wenn ich mich Euern
Freund nenne, wie Einige vielleicht es mir zum Vorwurf
machen könnten, mir die Anklage der Vermessenheit zuzuziehen, da nicht minder Ungleiche als Gleiche durch
das heilige Band der Freundschaft verknüpft werden, und
auch dergleichen Freundschaften Freude und Nutzen bereiten können. Nicht selten wird man finden, daß hoch-
stehende Personen sich mit untergeordneten verbinden.
Und wenn der Blick sich auf wahre Freundschaft, auf
Freundschaft an sich, hinwendet, zeigt es sich nicht da,
daß meistentheils äußerlich unbekannte, aber durch sittliche
Eigenschaften ausgezeichnete Menschen von erlauchten
Personen und hohen Fürsten zu Freunden gewählt wurden? Und warum nicht? da auch die Freundschaft zwischen
Gott und dem Menschen durch Uebertragung keineswegs
gehindert wird. Und wenn Jemand an dieser Behauptung Anstoß nehmen sollte, so vernehme er die Stimme
des heiligen Geistes, der einige Menschen seiner Freundschaft theilhaftig erklärt. Denn in dem Buch der Weis-
heit¹ heißt es von der Weisheit: „Sie ist den Menschen
ein unendlicher Schatz, und die dessen gebrauchen, sind
der Freundschaft Gottes theilhaftig geworden.“ Aber der
unerfahrene Haufe urtheilt ohne Besonnenheit, und wie

¹ 7, 14.
Dante, Prosaische Schriften. II.        **10**

er die Sonne einen Fuß lang hält, so täuscht er sich in sittlicher Hinsicht und über Dieses und Jenes in eitler Leichtgläubigkeit. Uns, die wir unser Inneres für unsern besten Theil halten, ist Einsicht verliehen, uns ziemt es nicht, den Spuren der Heerden zu folgen; vielmehr sind wir gehalten, ihren Irrthümern entgegenzutreten. Denn mit Verstand und Vernunft lebend, und mit einer gewissen göttlichen Freiheit ausgestattet, werden sie durch keine Gewohnheiten gefesselt. Kein Wunder drum, wenn nicht sie durch die Gesetze, sondern die Gesetze durch sie geleitet werden. Es leuchtet also ein, was ich oben gesagt habe, daß meine Behauptung, Euch ganz ergeben und doch Euer Freund zu sein, keine Vermessenheit enthalte.

3. Indem ich nun Euerer Freundschaft, wie dem theuersten Schatze, den Vorzug gebe, verlangt es mich, ihn mit fleißiger Vorsicht und genauer Sorgfalt zu bewahren. Da nun in der Sittenlehre gezeigt wird, daß man die Freundschaft, nach welcher ich strebe, durch Ausgleichung sich sichere, so war es mein Wunsch, zur Vergeltung der erwiesenen Wohlthaten eine Ausgleichung zu finden; ich überblickte deswegen meine kleinen Gaben oft und lange, sonderte und erwog das Gesonderte, nach Etwas, das Euer würdig wäre, unter Allem forschend. Da fand ich denn nichts paßlicher Euerer Herrlichkeit anzubieten, als denjenigen erhabenen Gesang der Komödie, der mit dem Titel des Paradieses geschmückt ist, und mit dem gegenwärtigen Briefe, gleichwie mit einer besonderen Widmungsschrift, überschreibe ich ihn an Euch, biete ihn Euch an, empfehle ihn Euch. Auch dies erlaubt mir mein glühender Eifer nicht mit Stillschweigen zu übergehen, daß ich mit diesem Geschenke mehr schenke, als einem Gebieter an Ehre und Ruhm dargebracht zu werden scheinen kann; vielmehr glaubte ich mit dessen Titel schon eine Prophezeiung von der Ruhmerweiterung des Namens für Aufmerksame hinlänglich ausgedrückt zu haben, hinsichtlich meiner Absicht..

4. Aber in Besorgniß über Euere Gunst, nach welcher ich dürste, mein Leben geringachtend, will ich von Anbeginn das mir vorgesteckte Ziel weitläuftiger darstellen. Daher will ich, indem ich die Briefform beschließe, zur Einführung in das dargebotene Werk, zu Gunsten des Lesers, mich kurz fassen.

5. Es sagt nun der Philosoph im zweiten Buche der Metaphysik: „Wie ein Ding sich zum Sein verhält, so verhält es sich zur Wahrheit"; wovon der Grund ist, daß die Wahrheit des Dinges, welche in der Wahrheit besteht, gleichsam wie in einer Unterlage, eine vollkommene Aehnlichkeit des Dinges mit Dem ist, was es ist. Von denjenigen Dingen aber, welche sind, sind einige so, daß sie ihr volles Sein in sich haben; andere sind so, daß sie ein Sein haben, das von einem andern Sein durch ein gewisses Verhältniß abhängig ist, zum Beispiel zu einer Zeit sein und sich nach etwas Anderem richten, als da sind: Vater und Sohn, Herr und Diener, das Doppelte und die Hälfte, das Ganze und der Theil, und so weiter, insofern sie dergleichen sind. Weil nun ein jedes Sein von dergleichen Dingen von einem andern Sein abhängt, so folgt, daß ihre Wahrheit von einem andern Dinge abhängt. Wenn man die Hälfte nicht kennt, so läßt sich nimmer das Doppelte kennen, und so weiter.

6. Will man also eine Einleitung in einen Theil eines Werkes geben, so muß man eine Kenntniß von dem Ganzen geben, dessen Theil es ist. Daher habe auch ich, indem ich über den obbenannten Theil der ganzen Komödie etwas geben will, in Form einer Einleitung etwas über das ganze Werk vorauszuschicken erachtet, damit der Eintritt in den Theil leichter und geebneter sei. Sechs Punkte sind nun zu Anfang einer jeden Unterweisung zu betrachten: der Gegenstand, die wirkende Ursache, die Form, der Zweck, der Titel des Buches und die Art der Philosophie. Unter diesen sind drei, in welchen der Theil, den ich Euch zu

**10 \***

widmen beschlossen habe, vom Ganzen abweicht, nämlich
Gegenstand, Form und Titel; in den andern aber
weicht er nicht ab, wie es deutlich ist, wenn man hin-
einsieht; daher sind jene drei Punkte vor der Betrachtung
des Ganzen abgesondert zu untersuchen, und das wird
dann zur Einführung in den Theil genügen. Dann
werden wir die andern drei Punkte untersuchen, nicht
blos hinsichtlich des Ganzen, sondern auch hinsichtlich des
in Rede stehenden Theils.

7. Zum Erweis nun des zu Sagenden muß man
wissen, daß der Sinn dieses Werkes nicht ein einfacher
ist, vielmehr ein vielsinniger. Denn der erste Sinn ist
der wörtliche, der zweite ist der mit den Worten bezeichnete. Der erste heißt der Wortsinn, der zweite aber
der allegorische oder moralische.[1] Zum besseren
Verständniß betrachte man die Verse: „Als Israel zog
aus Egyptenland[2], das Haus Jakob's aus dem fremden
Volk, da ward Judäa sein Heiligthum, Israel seine
Herrschaft."[3] Dem bloßen Wortsinne nach wird hier
der Ausgang der Kinder Israel's aus Egypten zur Zeit
des Moses bezeichnet, dem allegorischen Sinne nach
unsere Erlösung durch Christus, dem moralischen
Sinne nach die Umkehr der Seele von der Klage und
dem Elend der Sünde zu dem Stande der Gnade, dem
anagogischen Sinne nach der Ausgang der heiligen
Seele aus der Knechtschaft dieses Verderbnisses zu der
Freiheit der ewigen Glorie. Und obwol diese mystischen
Sinne verschieden benannt werden, so kann man sie doch
allesammt allegorisch nennen, insofern sie von dem Wortsinne oder historischen Sinne verschieden sind. Denn
Allegorie kommt her von dem griechischen $\dot\alpha\lambda\lambda o\widehat{\iota}o\varsigma$,
was auf lateinisch abweichend oder verschieden heißt.

8. Hieraus ist offenbar, daß der Gegenstand ein
doppelter sein muß, je nach dem einen oder andern Sinne.

---

[1] Dante's Gastmahl 2, 1.  [2] Fegefeuer 2, 46.  [3] Psalm 113, 1.

Und daher muß man den Gegenstand dieses Werkes theils seinem Wortsinn, theils aber auch seiner allegorischen Bedeutung nach betrachten. So ist denn der Gegenstand des ganzen Werkes, blos wörtlich genommen, der Zustand der Seelen nach dem Tode, ohne Weiteres. Denn dieser stellt sich in dem ganzen Werke dar. Im allegorischen Sinne ist aber der Gegenstand der Mensch, je nachdem er vermöge seines freien Willens durch Verdienst oder Unverdienst der belohnenden oder strafenden Gerechtigkeit unterworfen ist.

9. Die Form ist aber eine doppelte: die Form der Abhandlung und die Form des Abhandelns. Die erstere ist dreifach nach dreifacher Eintheilung. Durch die erste Eintheilung zerfällt das ganze Werk in drei große Gesänge, durch die zweite jeder große Gesang in kleine Gesänge, durch die dritte jeder kleine Gesang in Verse. Die Form oder die Art des Abhandelns ist poetisch, erfindend, beschreibend, ausbiegend, übergehend, und zugleich bestimmend, zertheilend, billigend, misbilligend und beispielgebend.

10. Der Titel des Buches ist: „Es beginnt die Komödie des Dante Alighieri, des Florentiners von Geburt, nicht von Sitten." Hiebei muß man wissen, daß das Wort Komödie besteht aus κώμη, Dorf, und ᾠδή, Gesang, daher Komödie so viel ist wie Dorfgesang. Die Komödie aber ist eine Art poetischer Erzählung, die sich von allen andern unterscheidet. Von der Tragödie unterscheidet sie sich im Stoffe dadurch, daß die Tragödie anfangs bewunderungswürdig und ruhig, am Ende oder zum Schluß stinkend und erschrecklich ist, und sie hat ihren Namen von τράγος, Bock, und ᾠδή, also Bocksgesang, das heißt stinkend wie ein Bock, wie aus den Tragödien des Seneka zu ersehen ist. Die Komödie aber fängt mit etwas Rauhem an; aber der Stoff endigt glücklich, wie aus den Komö=

dien des Terenz zu ersehen ist. Uud daher pflegten einige
Sprecher in ihren Grüßen statt des Grußes „einen tragischen Anfang und einen komischen Schluß" zu nehmen.
Auf ähnliche Weise unterscheiden sich beide in der Art
des Ausdruckes: bei der Tragödie ist er hoch und erhaben,
bei der Komödie nachlässig und niedrig; sowie Horaz in
seiner Dichtkunst[1], wo er den Komikern erlaubt, bisweilen wie Tragöden zu sprechen, und umgekehrt:
Oft auch hebet indeß die Komödie höher die Stimme;
Und es vertobt ein Chremes mit vollerem Munde den Eifer.
Auch der Tragiker klagt manchmal in der Rede des Umgangs.

Hieraus ist klar, daß das gegenwärtige Werk Komödie heißt. Denn wenn wir auf den Stoff sehen, ist er
anfangs schrecklich und stinkend, nämlich die Hölle, am
Ende glücklich, wünschenswerth und hold, nämlich das
Paradies. Wenn wir auf die Art des Ausdruckes sehen,
so ist diese nachlässig und niedrig, nämlich die allgemeine
Sprache, in der sich auch die Weiber einander mittheilen.
Hieraus ist klar, warum das Werk Komödie heißt. Es
gibt auch andere Arten von poetischer Erzählung, nämlich
das Hirtenlied, die Elegie, die Satyre, und das Weih-
gedicht, wie auch Horaz in seiner Poetik lehrt; aber
hierüber ist jetzt nicht nöthig zu sprechen.

11. Nun wird sich auch ergeben, wie der Gegenstand des gewidmeten Theiles zu bestimmen sei. Ist
nämlich der Gegenstand des ganzen Werkes dem Wortsinne nach der Zustand der Seelen nach dem Tode, nicht
beschränkt, sondern geradezu genommen, so ist offenbar
in diesem Theile der Gegenstand dieser Zustand, aber
beschränkt genommen, nämlich der Zustand der seligen
Seelen nach dem Tode. Und ist der Gegenstand des
ganzen Werkes allegorisch genommen der Mensch, je
nachdem er vermöge seines freien Willens durch Verdienst
oder Unverdienst der belohnenden oder strafenden Gerech-

---

[1] V. 93 etc.

tigkeit unterworfen ist, so beschränkt sich in diesem Theile offenbar der Gegenstand und ist der Mensch, wie er der belohnenden Gerechtigkeit unterworfen ist.

12. Und ebenso erklärt sich die Form des Theils aus der dem Ganzen zugeschriebenen Form. Denn wenn die Form der Abhandlung in dem ganzen Werk dreifach ist, so ist sie in diesem Theile nur zwiefach, nämlich in kleine Gesänge und Verse. Die erste Eintheilung findet nicht statt, weil diese die Theile betrifft.

13. Desgleichen erklärt sich der Titel des Buchs. Denn da der Titel des ganzen Buches ist: Es fängt die Komödie an u. s. w. siehe oben; so ist der Titel dieses Theiles: Es fängt an der dritte große Gesang der Komödie des Dante, welcher Paradies heißt.

14. Nachdem die drei Punkte untersucht sind, in welchen der Theil vom Ganzen abweicht, haben wir die drei andern zu betrachten, in welchen dies nicht der Fall ist. Die bewegende Ursache nun des Ganzen und des Theils ist die angegebene und scheint sie in der That zu sein.

15. Der Zweck des Ganzen und des Theils könnte vielfach sein, nämlich ein naher und entfernter. Aber ohne in das Genaue einzugehen, läßt sich kurz sagen, der Zweck des Ganzen und des Theiles sei, die Lebendigen in diesem Leben aus dem Zustande des Elendes heraus-zuführen und zu dem des Glückes zu geleiten.

16 Die Art der Philosophie aber, welche hier im Ganzen und im Theile angewandt wird, ist die moralische oder ethische, weil das Ganze erfunden ist nicht zur Forschung, sondern zur Ausübung. Denn wenn auch hie und da auf forschende Weise zu Werke gegangen wird, so geschieht das nicht der Forschung, sondern der Ausübung wegen; weil, wie der Philosoph im zweiten Buch der Metaphysik sagt, auch die Praktiker bisweilen jetzt die Forschung anwenden.

17. Nachdem dies vorausgeschickt ist, darf man eine

Probe von der wörtlichen Erklärung geben und aussprechen, daß die Worterklärung nichts Anderes ist als die
Darlegung der Form des Werks. Es theilt sich demnach
dieser Theil oder dritter Hauptgesang, welcher Paradies
heißt, vornehmlich in zwei Theile, nämlich in den Prolog und die Ausführung. Der zweite Theil fängt
etwa in der Mitte des ersten Gesanges an mit den
Worten:

Verschiednen Stätten sieht der Mensch entglimmen.

18. Ueber den ersten Theil ist zu bemerken, daß,
obwol er im Allgemeinen Exordium genannt werden
könnte, er eigentlich gesprochen doch nur Prolog genannt
werden kann, was der Philosoph im dritten Buch der
Rhetorik anzudeuten scheint, wo er sagt, Proömium
(Einleitung) sagt man von der Rede, Prolog vom Gedichte, und Präludium (Vorspiel) von dem Tonstücke.
Desgleichen ist vorläufig zu bemerken, daß jenes Vorwort,
das im Allgemeinen Exordium genannt werden kann, bei
den Dichtern anders ist als bei den Rednern. Denn die
Redner pflegen einen Vorschmack zu geben, um den Zuhörer anzuziehen. Aber die Dichter thun nicht nur dies,
sondern lassen noch einen Anruf folgen. Und dies paßt
für sie, da sie des Anrufes recht sehr bedürfen, insofern
sie gegen die gewohnte menschliche Weise von den höheren
Wesenheiten etwas, wie eine göttliche Gabe, zu entnehmen
haben. Nun theilt sich der gegenwärtige Prolog in zwei
Theile: in dem ersten wird voraufgeschickt, wovon geredet
werden soll; in dem zweiten wird Apollo angerufen, und
dieser zweite Theil beginnt mit den Worten:

O Hort Apoll, zum letzten der Geschäfte —

19. Hinsichtlich des ersten Theils ist zu bemerken,
daß zu einer guten Einleitung drei Stücke erfordert werden, wie Tullius in der neuen Rhetorik sagt, nämlich,
daß man den Zuhörer geneigt, aufmerksam und lernbe-
gierig mache, und dies besonders bei Gegenständen der
Bewunderung, wie Tullius selbst sagt. Da nun der

Stoff des gegenwärtigen Werkes bewundernswürdig ist, so werden diese drei Stücke auf das Bewundernswürdige bezogen in dem Anfang der Einleitung oder des Prologs. Denn der Dichter sagt, er werde Dinge sagen, die er im ersten Himmel sah, so viel er davon behalten konnte. Hierin liegen alle drei Stücke, nämlich in der Nützlichkeit der Dinge die Geneigtheit, in der Bewunderungswürdigkeit die Aufmerksamkeit, in der Möglichkeit die Lernbegierde. Die Nützlichkeit wird angedeutet, wenn er sagt, daß er Dinge vortragen werde, welche das menschliche Verlangen vorzugsweise reizen, nämlich die Freuden des Paradieses; die Bewunderungswürdigkeit, wenn er verspricht, so Hehres, so Erhabenes zu sagen, nämlich die Beschaffen= heiten des himmlischen Reiches; die Möglichkeit, wenn er sagt, daß er sagen werde, was er behalten konnte; denn wenn er selbst als Mensch es kann, so werden es auch Andere können. Dies Alles liegt in den Worten, daß er im ersten Himmel gewesen sei, und daß er von dem himmlischen Reiche sagen wolle Alles, was er in seinem Geiste wie in einer Schatzkammer aufbewahren konnte. Nachdem wir so den Werth und die Vollkommenheit des ersten Theils des Prologs betrachtet haben, wenden wir uns an die einzelnen Worte.

20. Da heißt es denn: Die Herrlichkeit des ersten Bewegers, welcher Gott ist, stralt zurück von allen Theilen des Weltalls, aber von dem einen Theile mehr, von dem andern weniger. Daß sie aber allenthalben zurückstralt, das zeigt Vernunft und Offenbarung. Die Vernunft folgendermaßen: Alles, was ist, hat das Sein entweder von sich oder von einem Andern. Aber das Sein von sich kommt bekanntlich nur Einem zu, nämlich dem Ersten oder dem Urwesen, welches Gott ist. Da aus dem Besitz des Seins die Nothwendigkeit an sich nicht hervorgeht, und die Noth= wendigkeit an sich nur Einem zukommt, nämlich dem Ersten oder dem Urwesen, welches die Ursache von allen

Dingen ist, so haben alle Dinge, welche sind, außer ihm
allein, ihr Sein von Anderen. Wenn also das Aeußerste
im Weltall, oder was es auch sei, betrachtet wird, so ist
deutlich, daß es das Sein von irgend Etwas habe, und
daß Dasjenige, wovon es das Sein hat, das Sein von
sich oder von irgend Etwas hat. Wenn von sich, so ist
es das Erste; wenn von irgend Etwas, so hat auch dieses
wieder das Sein von sich oder von irgend Etwas. Wenn
man nun so ins Unendliche fortschreitet in den bewirkenden
Ursachen, wie in dem dritten Buche der Metaphysik dargethan wird, so wird man auf das Erste kommen, welches Gott ist. Und so hat, mittelbar oder unmittelbar,
Alles, was ist, das Sein von Ihm; weil von Dem,
was die zweite Ursache von der ersten empfangen hat,
der Einfluß auf das Verursachte dem empfangenden und
zurückwerfenden Strale zu vergleichen ist, weshalb die
erste Ursache in höherem Sinne Ursache ist. Man sehe
das Buch von den Ursachen, wo es heißt: „Jede erste
allgemeine Ursache wirkt stärker auf das Verursachte als
die zweite." So viel vom Sein.

21. In Betreff der Wesenheit aber schließe ich so:
Jede Wesenheit, ausgenommen die erste, ist verursacht;
sonst gäbe es mehrere, die an sich nothwendig wären,
was unmöglich ist. Verursacht wird etwas von Natur
oder vom Verstande, auch das von Natur Verursachte
wird folglich vom Verstande verursacht, da die Natur
ein Werk des Verstandes ist. Alles Verursachte ist also
von irgend einem Verstande mittelbar oder unmittelbar
verursacht. Da nun die Tugend sich nach der Wesenheit
richtet, deren Tugend sie ist, so wird sie, wenn die Wesenheit eine Wesenheit des Verstandes ist, ganz und allein
von dieser verursacht. Wie wir also zur ersten Ursache
des Seins gelangten, so ist es jetzt derselbe Fall mit der
Wesenheit und Tugend. Hieraus ist deutlich, daß jede
Wesenheit und Tugend aus der ersten hervorgeht, und
die untern Wesenheiten gleichsam ausgestralte sind, und

die Stralen der oberen wie Spiegel [1] weiter nach unten verbreiten. Dies scheint Dionysius offenbar zu bezeichnen, wenn er von der himmlischen Hierarchie spricht. Und deswegen heißt es in dem Buch von den Ursachen: „Jeder Verstand ist reich an Formen." So zeigt also die Vernunft deutlich, daß das göttliche Licht, das heißt, die göttliche Liebe, Weisheit und Tugend allenthalben zurückstralt.

22. Auf ähnliche Weise belehrt uns die Offenbarung. Denn der heilige Geist spricht durch Jeremias [2]: „Erfülle ich nicht Erde und Himmel?" und im Psalm [3]: „Wo soll ich hingehen vor deinem Geist? Und wo soll ich hinfliehen vor deinem Angesichte? Führe ich gen Himmel, so bist du da; stiege ich zur Hölle herab, so bist du auch da. Nähme ich Flügel ꝛc." Und die Weisheit spricht [4]: „Der Geist des Herrn hat den Weltkreis erfüllt." Und der Prediger im 42. Kapitel: „Das Werk des Herrn ist voll seines Ruhmes. Dies bezeugen auch die Schriften der Heiden, wie Lukan im neunten Buch [5]:

Jupiter ist, was immer du siehst, wohin du dich wendest.

23. Deshalb ist es wohl gesagt, daß der göttliche Stral oder die göttliche Herrlichkeit das Weltall durchdringt und zurückstralt. Durchdringen geht auf die Wesenheit, zurückstralen auf das Sein. Der Beisatz mehr und minder hat aber offenbar Wahrheit, sintemal wir sehen, daß das Eine in höherem, das andere in niederem Grade das Sein hat, was sich an dem Himmel und an den Grundstoffen zeigt; denn jener ist unzerstörbar, diese sind zerstörbar.

24. Nach Vorausschickung dieser Wahrheit folgt eine Umschreibung des Paradieses in den Worten: In jenem Himmel, der (von der Herrlichkeit Gottes oder) vom Licht reichlicher empfängt. Hiebei ist zu

---

[1] Fegef. 4, 62. Parad. 9, 61. u. 21, 18.  [2] 23, 24.
[3] 139, 7—9.  [4] 1, 7.  [5] Pharsal. 9, 580.

merken, daß der oberſte Himmel gemeint iſt, der Alles enthält und von nichts eingeſchloſſen wird, innerhalb deſſen ſich alle Körper bewegen, der in ewiger Ruhe verharrende erſte, der von keiner körperlichen Weſenheit abhängt. Er heißt das Empyreum, das bedeutet, der feurige oder glutlodernde Himmel, nicht wegen ſtofflichen Feuers, ſtofflicher Glut, ſondern wegen geiſtigen Feuers, welches die heilige oder göttliche Liebe iſt.

25. Daß er aber von dem göttlichen Lichte in höherem Grade erleuchtet wird, läßt ſich doppelt beweiſen: erſtlich, weil er Alles einſchließt und von nichts eingeſchloſſen wird; zweitens wegen ſeiner ewigen Ruhe oder Friedens. Der erſte Beweis iſt folgender: Das Einſchließende verhält ſich zu dem Eingeſchloſſenen wie die Bildungskraft zu dem Bildungsfähigen, laut vierten Buches der Phyſik. Aber in der natürlichen Lage des ganzen Weltalls iſt der erſte Himmel der Alles einſchließende; er verhält ſich alſo zu Allem, wie die Bildungskraft zu dem Bildungsfähigen, ich meine ein urſachliches Verhältniß. Und da jede urſachliche Kraft ein aus der erſten Urſache ausgehender Stral, das heißt, aus Gott iſt, ſo empfängt jener Himmel, inſofern er eine Urſache in höherer Bedeutung iſt, offenbar mehr vom göttlichen Lichte.

26. Der zweite Beweis iſt folgender: Alles, was ſich bewegt, bewegt ſich vermöge Etwas, das es nicht hat, und dies iſt die Grenze ſeiner Bewegung, ſowie der Himmel des Mondes ſich bewegt vermöge eines ſeiner Theile, der nicht jene Stelle hat, wonach er ſich bewegt, und weil jeder ſeiner Theile, nicht jeder Stelle theilhaft (was unmöglich iſt), ſich vermöge eines Andern bewegt, ſo folgt, daß er ſich ſtets bewegt und nie in Ruhe kommt, und dies iſt der Trieb.[1] Und was ich vom Himmel des Mondes ſage, gilt von allen Himmeln mit Ausnahme des erſten. Alles alſo, was bewegt wird, hat einen ge=

---

[1] Dante's Gaſtmahl 2, 4.

wiſſen Mangel, und hat nicht ſein ganzes Sein zugleich. Jener Himmel nun, der von Nichts bewegt wird, hat in ſich und in jedem ſeiner Theile alle ſeine Kraft auf vollkommene Weiſe, weil er der Bewegung zu ſeiner Vollkommenheit nicht bedarf. Und weil alle Vollkommenheit ein Stral des erſten iſt, das den höchſten Grad der Vollkommenheit beſitzt, ſo iſt deutlich, daß der erſte Himmel mehr von dem erſten Lichte empfängt, welches Gott iſt. Dieſer Schluß ſcheint jedoch den vorigen aufzuheben, wenn wir blos auf die Form des Schluſſes ſehen. Anders iſt es, wenn wir auf den Stoff ſehen, als einen ewigen, in welchem auch der Mangel ewig ſein kann. Wenn nämlich Gott ſich keine Bewegung gab, ſo gab er ſich offenbar nicht eine Natur, der es an etwas mangelt. Hieraus ſieht man, daß ſich der Schluß auf den Stoff bezieht, wie wenn man ſagte: Ein Menſch, ſofern er Menſch iſt, iſt ſichtbar; denn alles Veränderliche verhält ſich auf ähnliche Weiſe hinſichtlich des Stoffes. Offenbar alſo ſollen die Worte: „In jenem Himmel, der mehr von dem Lichte Gottes empfängt", eine Umſchreibung des Paradieſes oder des empyreiſchen Himmels ſein.

27. Hiemit übereinſtimmend oder demgemäß ſagt der Philoſoph im erſten Buche von dem Himmel: „daß der Himmel einen um ſo edleren Stoff hat als dieſe niedern Dinge, je weiter er von dieſen, den irdiſchen, entfernt iſt. Auch ließe ſich hierauf noch beziehen, was der Apoſtel an die Epheſer[1] von Chriſtus ſchreibt: „der da aufgefahren iſt über alle Himmel, auf daß er Alles erfüllete." Dies iſt der Himmel der Wonnen des Herrn, von welchen Ezechiel gegen Lucifer ſpricht[2]: „Du Abdruck des Ebenbildes, voller Weisheit und vollkommen ſchön, warſt in den Wonnen des Paradieſes Gottes."

28. Nachdem der Dichter geſagt hat, daß er im

---

[1] 4, 10.  [2] 28, 12.

Paradiese gewesen sei, fährt er in seiner Umschreibung fort, „er habe Dinge gesehen, die man nicht mit Worten aussprechen kann, wenn man herabgekommen ist", und zwar mit Angabe des Grundes, „weil der Verstand so tief eindringt" in sein Verlangen selbst, das heißt, in Gott, „daß er mit dem Gedächtniß nicht nachkommen kann." Zum Verständniß dieser Worte ist zu bemerken, daß der menschliche Verstand in diesem Leben, wegen gleicher Natur und Verwandtschaft mit der für sich bestehenden Verstandeswesenheit, wenn er sich erhebt, sich so erhebt, daß wegen Ueberschreitung des menschlichen Maßes das Gedächtniß nach der Rückkehr mangelt. Dies deutet auch der Apostel an, wenn er zu den Korinthern spricht[1]: „Ich kenne denselbigen Menschen (ob er in dem Leibe oder außer dem Leibe gewesen ist, weiß ich nicht, Gott weiß es), er ward entzückt in das Paradies, und hörte unaussprechliche Worte, welche kein Mensch sagen kann." Siehe, weil der Aufschwung das menschliche Maß des Verstandes überschritten hatte, erinnerte er sich nicht an Das, was außer ihm vorging. Dies bezeichnet uns auch Matthäus[2], als die drei Jünger auf ihr Angesicht fielen und nachher nichts davon erzählten, als ob sie es vergessen hätten. Und Ezechiel[3] schreibt: „Ich sah und fiel auf mein Angesicht." Und wenn dies den Bedenklichen noch nicht genügt, so mögen sie den Ricardus de sancto Victore in dem Buche von der Beschaulichkeit lesen, lesen den Bernhard in dem Buche von der Betrachtung, lesen den Augustinus in dem Buche von der Vielheit der Seele, und sie werden nicht länger bedenklich sein. Wenn sie aber glauben sollten, daß bei einer so gewaltigen Geisteserhebung die Sündhaftigkeit des Sprechers an seinem Verstummen Schuld sei, so mögen sie den Daniel[4] lesen, und sie werden finden, daß selbst

---

[1] 2. Kor. 12, 3 u. 4.  [2] 17, 6 u. 7.  [3] 2, 1.  [4] 2, 3.

Nebukadnezar göttliche Gesichte hatte, die gegen die Sünder gerichtet waren, und sich nicht daran erinnern konnte.
Denn „Er, der die Sonne aufgehen läßt über Gute und
Böse, und regnen läßt über Gerechte und Ungerechte"[1],
der offenbart bisweilen, um sie aus Barmherzigkeit zu
bessern, bisweilen um sie strenge zu bestrafen, mehr oder
weniger, nach seinem Gefallen, seine Herrlichkeit auch
Denen, die sich noch so gröblich versündigten.

29. Der Dichter sah also, wie er sagt, Dinge,
welche wieder zu erzählen nicht weiß noch kann,
wer zurückkehrt. Man beachte die Ausdrücke nicht
weiß und nicht kann. Nicht weiß, weil er sie vergaß,
nicht kann, weil, wenn er sich auch an den Inhalt erinnerte und ihn fest hielte[2], dennoch das Wort mangelt.
Denn Vieles sehen wir mit dem Verstande, wofür es
der Stimme an Zeichen fehlt, was Plato hinlänglich
andeutet in seinen Büchern über die Benutzung der Me-
taphern; denn Vieles sah er mit dem Lichte des Verstandes, was er mit der Rede nicht eigentlich ausdrücken konnte.

30. Dann heißt es weiter: er werde Das sagen,
was er von dem himmlischen Reiche behalten
konnte, und dies sei der Stoff des Werkes; was
und welcherlei Art dies sei, wird sich in dem ausführenden Theile zeigen.

31. Wenn es dann heißt: O guter Apoll u. s. w.,
so ist dies der Anruf. Und dieser Theil hat zwei Theile,
in dem ersten bittet er ihn anrufend, in dem zweiten
legt er dem Apollo die gethane Bitte ans Herz, mit dem
Versprechen einer Art von Belohnung, und dieser zweite
Theil beginnt: O göttliche Kraft. Der erste Theil
zerfällt in zwei Theile; in dem ersten bittet er um die
göttliche Hülfe, in dem zweiten berührt er die Nothwendigkeit seiner Bitte oder rechtfertigt sie und fängt an:
Bis hieher war die eine Kuppe des Parnaß rc.

---

[5] Matth. 5, 45.  [2] Dante's Gastmahl 3, 4.  Hölle 28, 4.

32. Dies ist der Sinn des zweiten Theils des Prologs im Allgemeinen; im Besondern werde ich ihn aber jetzt nicht erklären. Denn es bedrängt mich die Noth meines Hauswesens, sodaß ich dies und Anderes dem Gemeinwesen Nützliches unterlassen muß. Aber ich hoffe von Euerer Herrlichkeit anderweitig Gelegenheit, zu der nützlichen Erklärung schreiten zu können.

33. Ueber den ausführenden Theil, welcher der Eintheilung nach auf den Prolog folgt, soll jetzt auch weder hinsichtlich der Eintheilung noch des Inhaltes etwas gesagt werden, außer daß darin von Himmel zu Himmel aufgestiegen und von den in jedem Kreise befindlichen seligen Seelen gesprochen wird, und daß jene wahre Seligkeit in dem Gefühl des Urquells der Wahrheit besteht, wie aus Johannes erhellt, wenn er sagt [1]: „Das ist die wahre Seligkeit, daß sie dich als wahren Gott erkennen" u. s. w., und aus dem Boëthius im dritten Buch von dem Troste: „Dich erkennen ist Zweck." Um nun die Glorie der Seligkeit an jenen Seelen zu zeigen, werden Diejenigen, welche die ganze Wahrheit gleichsam mit Augen sehen wollen, viele Untersuchungen wünschen, die eben so nützlich als erfreulich sein werden. Und weil es nichts mehr zu untersuchen gibt, wenn man den Urquell oder das Erste, nämlich Gott, gefunden hat, da er das Alpha und das Omega, das heißt, der Anfang und das Ende ist, wie die Offenbarung Johannis [2] sagt, so schließt das Werk in Gott selbst, der gelobet sei von Ewigkeit zu Ewigkeit.

---

[1] Evang. Joh. 17,3.　[2] 1, 8; 21, 6; 22, 13.

---

Druck von F. A. Brockhaus in Leipzig.